謹訳 源氏物語

改訂新修

二

林 望

目次

末摘花……7
紅葉賀……81
花宴……145
葵……171

賢木……279
花散里……389
訳者のひとこと……401
登場人物関係図……405
内裏図……406

装訂　太田徹也

末摘花《すえつむはな》

源氏十八歳から十九歳の正月まで

源氏、夕顔の面影を忘れず

思っても思っても、それでもどうしても満《み》たされぬ思いにつながれていた夕顔《ゆうがお》の女が、その夕顔の花に置いた儚《はかな》い露《つゆ》のように消えてしまったのに、自分ばかりは生き残ってしまったという索漠《さくばく》たる気持ちを、明くる年になっても源氏は忘れることができなかった。

身の回りを見渡せば、そこここに自分を取り巻いている女たちは、みな気位の高い、気の置ける人ばかりで、われこそはと、その教養やたしなみの深さを競いあっている。そういうのはもううんざりで、ただあの夕顔の、親しみ深く、すっかり気を許して甘えていたかわいらしさに似た人なんていないものだなあと、源氏は今さらながら恋しくてならない。

そこで、そうそうご大層なお家柄の姫とかいうのでなくて、ただかわいらしげな人柄で、自分として何も気を置かずにつきあえる、そういう人を、なんとかして見つけたいものだと、源氏はまた性懲《しょうこ》りもなく思い続けている。このため、ちょっとでもなにか一廉《ひとかど》ありげに噂《うわさ》される女のことを聞けば、どうしても耳に留《と》めずにはおかれない。

ではひとつ、と思い立つほどのなにごとかがある女のところへは、さっそく一行二行の簡単な文《ふみ》を送って、思いを仄《ほの》めかしたりもしてみるのだが、すると、たちまちその気になって靡《なび》いてくる。たまには言うことを聞かない女の一人や二人はいないものかと思うけれど、めったとそういう女もいないのには、まったく飽《あ》き飽きした、と源氏は思っている。といって、強情《ごうじよう》で素《そ》っ気《け》ない女となると、これまた喩《たと》えようもなく情《なさけ》知らずでくそ真面目《まじめ》、まるで男女《おとこおんな》の情《なさけ》の機微が分からないようで面白くもないが、さりとてそういう女が最後まで身持ちの固さを貫徹するというわけでもない。しまいには、跡形《あとかた》もなく矜持《きようじ》も捨てて、そこらへんのつまらぬ男に縁付《えんづ》いたりする女もいることだから、結局それなりになってしまうことも多かった。

あの空蟬《うつせみ》を、なにかの折々につけて、〈あれは、癪《しやく》に障《さわ》る女だった〉と思い出すことがある。それにつれて、伊予《いよ》の介《すけ》の娘の軒端《のきば》の荻《おぎ》のことも思い出しては、なにかの口実を付けて風の便りを送り、その風の音で荻の女をざわめかせるというようなこともあるらしい。

〈あのほの暗い油火《あぶらび》の光のなかで、しどけなく着崩した肌も露《あら》わな姿で碁を打っていた、あんな姿を、また見てみたいものだな〉と源氏は思ったりもする。

どうやら源氏は、関わりを持った女のことは、すっかり忘れてしまうということができない性格なのであった。

源氏、大輔の命婦から故常陸宮の姫の噂を聞く

源氏の近侍《きんじ》の乳母《めのと》の一人で、大弐《だいに》の乳母の次に信頼を寄せていた左衛門《さえもん》という者の娘で、大輔《たゆう》の命婦《みようぶ》という女房が、内裏《だいり》に仕《つか》えている。この大輔の命婦という謂《いわ》れは、その父親が皇族に連なる血筋の兵部大輔《ひようぶのたゆう》という者だったので、そのゆかりでかく呼ぶのであった。

この命婦は、なかなか人後《じんご》に落ちない色好みの若女房であったのを面白がって、源氏もあれこれと召《め》し使っていた。

母の左衛門は、後に筑前《ちくぜん》の守《かみ》の妻《つま》となり、そのころは九州の任国《にんごく》に下《くだ》っていた関係で、命婦は父の邸《やしき》を実家として、そこから内裏へ行き通う生活であった。

故常陸宮《ひたちのみや》が、晩年に儲《もう》けてたいそう大切にし、かわいがってもいた姫君が、その宮の邸に心細い状態で残っているということを、この好き者の命婦が、なにかのついでに、かくかくしかじかと源氏に話して聞かせたのだった。

源氏は、これを聞き捨てにはできぬ。

〈ほほぉ、故常陸宮のねぇ……それはまたお気の毒なお身の上……〉と、じっと心を寄せて、くわしく問い聞いた。命婦は言う。

「その姫君の、ご性格やご容貌《ようぼう》など、詳しいことはよくも存じません。でも、お育ちがお育ちですから、なにぶん控え目で、お人付き合いなどもあまりなさいませんので、わたくしなどがお目にかかる折なども、御簾《みす》などを隔《へだ》てて、ひそやかにお話しいたしますばかり……。あの、唐様《からよう》の古風な七弦琴《しちげんきん》ばかりを睦《むつ》まじい話し相手のようにお思いなさいますようで……」

「なに、琴《きん》を弾《ひ》くのか。ははは、唐の国では、君子の友とては、琴《きん》・詩《し》・酒《しゅ》、というけれど、この最後の一つは、どうも姫君のご趣味としてはいかがであろうな」

などと冗談を言いながら、源氏は、早くも興味津々である。

「琴《きん》と来れば、私も嗜《たしな》むゆえ、ぜひ一手《ひとて》聞かせてもらいたいものだな。あの常陸宮は、そっちの方面にかけては相当にお出来になった方だから、その姫君とあれば、やわか凡手《ぼんしゅ》ということもあるまいぞ」

「いえいえ、源氏さまほどの名手がお聞きになるというほどの腕前でもないと存じますが……」

などと言いながら、好き者の命婦ゆえ、なにくれとなく源氏がその気になるように、話を持っていくのであった。

「ふふふ、ずいぶんとまた、曰《いわ》くあり気に話すね。それなら、この季節柄、朧月夜《おぼろづきよ》に乗じて、そっと常陸宮の邸へ行ってみようかな。その時は、命婦、お前も宮中のほうはお暇《いとま》を頂戴《ちょうだい》して、つきあえよ」

源氏はもうすっかりその気である。命婦は自ら蒔《ま》いた種《たね》とは言いながら、正直、〈これはちょっと面倒なことになったぞ〉と思っている。しかし、乗りかかった船、折しも宮中は行事なども少なくてのんびりした時節だったので、つれづれにまかせてお暇を頂戴し、その常陸宮邸に里下がりをした。

この命婦の父、兵部大輔は、ほんとうは常陸宮の血筋でこの邸にいても良いはずなのだが、実は別の邸の後妻のところにばかり住んでいて、常陸宮邸にはさっぱり居つかない。それでこちらには、時々やってくるという程度らしかった。命婦は、しかし、その父の後妻、継母の住む邸は気が進まぬゆえ、内裏からお暇を頂戴して里に下がる折は、この姫君のほうに親しみを感じて、つねづね常陸宮邸にやって来るらしいのであった。

源氏、朧月夜に常陸宮邸にて、姫君の琴を聞く

かねてそう言っていたとおり、源氏は春の十六夜《いざよい》、月も朧々《ろうろう》たる夜、唐突に常陸宮邸にやって来た。

「おやおや、こう突然では、準備も整わず具合の悪いこと。こんなぼうっとした夜は、琴《きん》なども澄んだ音《ね》には響きませんのに……」

命婦は困惑のていである。

「まあ、そう言うな。せっかくだから、あちらの姫君のところに行って、ちょっと一節《ひとふし》だけでもいいから、姫君に琴《きん》の音《ね》を所望《しょもう》しておいで。このままなにも聞かずに帰るというのも憾《うら》みが残るからね」

源氏がそういうのでは、断わることもできぬ。命婦はとりあえず、自分の取り散らした居室《きょしつ》に源氏を通して、かかるむさくるしいところに待たせるのは、まことに申し訳ないと思いながら、急ぎ姫君のいる寝殿《しんでん》にやって来た。

すると、もう十六夜月も出た夜分になるというのに、まだ格子戸《こうしど》も下ろさず、端近《はしぢか》いと

ころに座ったままの姫は、庭の梅の馥郁《ふくいく》と香る花を眺《なが》めていた。

〈ちょうどよかった……〉と、命婦は思って、

「お琴《こと》の音《ね》も、こんな夜はどんなに良い響きでございましょう、と存じます。良いお月夜に誘われて参上いたしました。なんですか、いつもばたばたと忙しくいたしておりますと、落ち着いて姫君のお琴も拝聴できませんのが、残念でございます。今宵《こよい》は、ぜひ……」

と調子の良いことを言って、姫に琴を所望する。

「されば、どなたか、琴《きん》の音《ね》を聞き知るお客人でもお見えなのでしょうか。もっとも、内裏に出入りなさるような立派な方のお聞きになるようなものではないけれど……」

と言いながら、姫君は琴《きん》を持ってこさせる。命婦は、〈あれあれ、大丈夫だろうか。源氏さまがどんなふうにお聞きになるか……さてさて〉と、胸のつぶれる思いがする。

姫君は、消え入るような音で琴《きん》を弾《だん》じたが、その音のかそけさが、源氏の耳にはふと趣ありげに聞こえた。

さまで見事な演奏というのではないけれど、この琴《きん》という楽器が、そもそも唐渡《からわた》りの古風なもので格別の音《おと》のするものであるところから、源氏も、まずまずの音だと聞いた。

〈ひどく荒れ果てて、寂《さび》しい邸だ……あの常陸宮ほどの方が、その姫を、むかし風に、下へもおかず大事に大事に育てていたのであろうけれど、かつての栄華の名残《なごり》も見えぬほどの荒れかた……これでは、その姫君とやらも、日々物思いのみに沈んでおられようか……いやいや、こんなふうなところにこそ、えてして、昔物語にも風情《ふぜい》ある恋などが展開したものであったよな〉と、源氏は、その琴《きん》の音《ね》を聞きながら、この荒れ邸こそ、面白い恋の隠れ家かもしれない、と思い続け、ひとつなにか言い寄ってみようか、とも思うけれど、それもあまりに唐突でいけないと、いささか気が引けて、しばし躊躇《ちゆうちよ》している。

命婦は、なかなか気の利《き》いた女で、この程度の琴の音を、長々と聞かせては馬脚《ばきやく》を露《あら》わすおそれがあると思い、ほどほどのところで、

「おやおや、空模様も怪しいようでございます。こんな天気では、お琴も響きがよろしからず……、おお、そうそう、わたくしのところに、客人が来ると申しておりました。あまり放っておきましては迷惑がっているように誤解されかねませぬ。ささ、お琴はまたそのうち、からりと晴れた折にでも、ゆっくりと拝聴いたしましょうほどに、格子戸も下ろしましょうか」

と、姫の演奏を切り上げさせてしまうと、源氏のところへ戻ってきた。

「ほんのちょっとだけしか弾いてくれないのだね。あれでは聞かないほうがましというくらいだ。あまりちょっぴりの上に、小さな音なので、上手《じょうず》か下手《へた》か、聞き分けることもできなかったぞ、残念ながら」

源氏はどうやら、この姫君に興味を持ったらしい口ぶりである。

「どうせ聞かせていただくなら、もっと間近なところで立ち聞きなどさせてほしいものだけどね」

源氏はそうせっつくけれど、あまり露骨に聞かせては元も子もないと命婦は思っている。源氏が〈もうすこし聞きたいな〉と思うくらいのところで止《とど》めておきたいのである。

「さてさて、それはいかがなものでしょうか。なにしろ姫君はこんな調子のお暮らしぶりで、まことに火の消えたように意気消沈しておられ、それはもうお気の毒なご様子なものですから、立ち聞きなどということは、いかになんでも気が咎《とが》めます……」

命婦は防戦に努める。源氏は、〈なるほど、それはそんなものだろう、ちょっと逢《あ》っただけで、すぐにお互い馴《な》れ馴れしくするというような女は、まあその程度の分際《ぶんざい》だということだ……なにしろ相手は宮様の秘蔵《ひぞう》の姫だからな……〉と心中に自問自答している。

「それでもな、命婦、私のこういう気持ちを、それとなく姫君に伝えておくのだよ」

と源氏はよくよく命婦に言い含める。

どうやら、その夜、ほかに約束している女があったらしく、源氏はそのままこっそりと帰っていこうとしている。その源氏を送りながら、命婦は言った。

「陛下は、源氏さまがあまりに堅物《かたぶつ》過ぎて心配だとおっしゃっていたけれど、ふふ、なんだかおかしくなってしまうことがちょいちょいあります。たとえば今宵のような、お忍びのところを帝《みかど》にお目にかけたいくらい、もしごらんになったら、なんとお思いになるかしら」

源氏は、これを聞いて、ふと立ち戻り、

「おやおや、そういうことをおまえに言われたくはないもんだね。こんな程度のことを浮気めいた振舞いだというなら、どこかの女のしていることなど、もっと言いにくいことではないかなあ」

と言いながら、ふふふっと笑う。これには命婦も参《まい》ったと思った。

〈源氏さまは、わたくしの日頃があまりにも色好みっぽいと思って、ときどきこういうことをおっしゃる……〉と思わず恥ずかしくなって命婦は口を噤《つぐ》んだ。

頭中将も来て垣間見す

もしや寝殿のほうに行ってみたら、その姫君の気配だけでも聞けるかもしれないと思い立って、源氏は、そろりと立ち上がって部屋を出ていった。塀も垣根もほとんど壊れてしまっているのだが、竹垣のすこしばかり残っているあたりに近寄っていくと、ややっ、そこに源氏より先に来て、立ちながら中を垣間見《かいまみ》している男がいる。あれはいったい誰であろう、自分以外にもこの姫に心をかけた好き者がいるぞと思って、見つかってはいけないので、源氏は物陰に隠れたが、じつはこの男は頭中将《とうのちゅうじょう》であった。中将は、この夕べに源氏といっしょに内裏を退出してきたのだったが、源氏がそのまま左大臣《さだいじん》邸にも寄らず、二条の邸にも帰らず、途中で別れたので、どこへ行くんだろうという好奇心を出して、中将は中将で女のところへ通う予定だったのを中止して、ともかく源氏のあとをつけて、この常陸宮邸に来ていたのである。ただ、いかにも粗末な馬に、狩衣姿《かりぎぬすがた》のいい加減な服装で来ていたので、ちょっと見ただけでは、それが誰とも分からない。

頭中将は、源氏がかかる異様な荒れ邸に入っていったのを見届けて、いったいどういうことだろうかと納得しかねていたところに、にわかに古風な琴《きん》の音《ね》などが聞こえてきたので、つい立ち聞きするような形になった。そうして、そろそろ源氏も出て来るだろうと待ちかまえていたというわけなのだった。

源氏は、暗がりではあり、それが誰とも見分けられなかったが、ともかく自分のほうが見られては一大事と思って、抜き足差し足して退《しりぞ》こうとするところに、後ろから中将が、すっと寄ってきて声をかけた。

「私を袖《そで》にして姿を消してしまわれたことの恨《うら》めしさに、ははは、跡《あと》を慕《した》ってお送りしてまいったようなわけで……

もろともに大内山《おほうちやま》は出《い》でつれど
入《い》るかた見せぬいさよひの月

御一緒に内裏……大内山《おおうちやま》から出たというのに、出たっきりどこへ入るとも見せず、ふらふらと彷徨《さまよ》って姿をくらましてしまった十六夜《いざよい》の月でありましたな」

とこんな恨み言を言ったのは小癪《こしやく》なことであったが、しかし、この男がほかならぬ頭中将であったのを知って、源氏は少し可笑《おか》しく思った。

「なんとまあ、誰も思い付かぬようなことを」

と、せいぜい憎《にく》らしがりながら、一首。

　里《さと》わかぬかげをば見れどゆく月の
　いるさの山を誰《たれ》かたづぬる

月は大内山を出て、どんな里のすみずみまでも光を届かせるもの……私がその月のようにあまねく里々の女を訪ね歩いているとしても、その月がずっと渡っていって西の方入佐山(いるさやま)に入るところまで追いかけてくるなど、いったいどこの物好きがそんなことをするものかね

頭中将は面白がって、

「さて、私がこんなふうに、君のあとをつけ回したら、さあ、どうしますか」

などと、脅《おど》かすようなことを言ってから、

「ですから、まじめな話、こういうお忍《しの》びのお通いには、随身《ずいじん》の手腕次第でうまくもまずくも運ぶものですからね。私を腕利きの随身とでも思って、今日のように置いてきぼりを食わせたりしないほうがおためですよ。それに、こんな風に身を窶《やつ》してのお忍び沙汰《ざた》は、

とかく軽率な事件を起こすもとですから、ご自重あってしかるべきかと……」

と源氏を諫《いさ》め、一本取ったつもりである。

源氏は、まさかいつもこんなふうにつけ回されてはたまらないとは思うものの、〈そんなことを言っていても、中将の奴は、まだあの夕顔の一件や、その子の撫子《なでしこ》のことなどは尋ね当てることができずにいるのであろう、これぱかりは自分の勝ちだな〉と、ひそかに思っている。

源氏、頭中将と共に左大臣邸へ

こんな思いがけないことで、源氏も頭中将も、それぞれ今宵通う予定になっていた女のところへは、いい気なもので、とうとう行かないことにしてしまった。

それで、二人は一台の牛車《ぎつしや》に同乗して、月がいかにも趣《おもむき》豊かに雲隠れがちにしている道を、笛など吹き合わせながら左大臣の邸にやってきた。

前駆《さきが》けの者に帰邸を報知《ほうち》させることもなく、そっと邸に入って、誰も見ていないような渡殿《わたどの》で狩衣を脱ぎ、直衣《のうし》など普段着を持ってこさせて着替えた。そうして涼しい顔をして、たった今内裏から退出してきたといわぬばかりの様子で、二人して笛の合奏などして打ち興じている。

左大臣は、その音《おと》を聞きつけて、押《お》っ取《と》り刀《がたな》で高麗笛《こまぶえ》を持ち出してきた。なにしろこの人は高麗笛の名手ゆえ、たいそうおもしろく吹き鳴らす。さらに、琴《こと》などの弦楽器を取り寄せては、そこらの御簾の内にも琴の心得のある女房がいるので、それに弾かせる。

葵上《あおいのうえ》の近侍の女房の中務《なかづかさ》という者は、とりわけて琵琶《びわ》の上手なのだが、今宵の楽《がく》の席からは離れたところにいる。というのは、頭中将がこの女房に懸想《けそう》をしたけれど、それには靡《なび》かず、ただ、源氏がたまさかにやって来るのだけを慕《した》わしく思って、いつも源氏のお情《なさけ》ばかりを嬉《うれ》しく思っているというわけで、そのことは公然の秘密になっているのであった。さすがに、左大臣の北《きた》の方《かた》の大宮《おおみや》などは、自分の息子を袖にして源氏のお戯《たわむ》れの相手にはなっているというのが面白くない。そのため、中務は、こんな状況がひたすら憂鬱《ゆううつ》で、いたたまれない思いがして、無聊《ぶりょう》げな顔でものに寄りかかって臥している。この際すっかりこの邸からお暇《いとま》を頂戴して、源氏とはまったくかけ離れた場所に行ってしまおうかと思わぬでもないのだが、といって、それはそれで心細く、心はあれこれと乱れがちであった。

源氏と中将は、この琴の音を聞くと、さっきの常陸宮の姫君の爪弾《つまび》きの音を思い出し、それにしても、あのあまりにもみすぼらしい邸のありさま、あれはあれで風変わりな風情であったと思い続けた。中将は、〈まあ、これであんな荒れ果てた邸に、案外とかわいらしい女などが住んでいて、もう何年も人に知られずに隠れているのを、こっちが見初《みそ》めて、恋の懊悩《おうのう》に心を悩ましたりなどしたら、さぞ世間に騒がしく噂《うわさ》されて、そうすると自分の心も恋と世間の板ばさみで苦悶《くもん》したりして……〉などと、おかしなことを想像している。

〈しかし待てよ、あの邸の姫だが……源氏があんなふうにただならぬ様子で出入りしていたというところからすると、とてもこのままでは過ごされまい。癪《しゃく》に障ることを……油断もすきもありゃしない〉と頭中将は思うのだった。

源氏と頭中将の文の競合

その後《ご》、源氏からも頭中将からも、その常陸宮の姫君に文など送ったようだが、どちらにもまったく返事が来ない。そういうのは、どうして返事をよこさないのか気になってしかたないし、また面白くもない。

〈ああ、あまりにもひどい話ではあるまいか、ああいう寂しい住まいをする人は、なんでもないような草木やら、あるいは晴れた曇ったというようなことにつけても、心ばえのあるところを見せてほしいもの、そういう情趣《じょうしゅ》をわきまえた心がけが推量される折々があってこそ魅力も感じるというものじゃないか〉〈いかに重々しい身分の姫君だからとて、いかになんでもこう返事もよこさず深窓《しんそう》に隠れているのは、なんとしても面白くない、じつによろしくない〉と二人はこもごも思いやっている。

とりわけて、中将は、源氏に先を越されそうなので、一段と焦《あせ》っている。そこで、いつもながらのざっくばらんな心から、

「あの例の姫君ね、あちらから返事は来ましたか。私のほうは試みばかりにちょっと書き送ってみましたが、まるでとりつくしまもなくて、がっかりでしたよ」

と愚痴《ぐち》をこぼすと、源氏は、〈ははあ、さては中将め、言い寄ったんだな、あの姫に〉と思って、ついニヤニヤと顔が緩《ゆる》んだ。

「いやいや、私のほうは、強《し》いて逢ってみたいとも思わないよ、……だから逢ったというわけでもないさ」

と源氏は平気な顔で答える。中将は〈ははーん、さてはあの姫は、源氏にだけは返事でも書いてるのかもしれん……まったく人を分け隔《へだ》てするよなあ〉と悔《くや》しくてしかたない。もともと源氏は、この姫君については、それほど深く思い渡ったというわけでもないことで、しかも、何度手紙を書いても返事もよこさぬというような無情な扱いをされて、だんだんと殺風景《さつぷうけい》な気持ちになってきたのだったが、それでも、この頭中将がこんなにもせっせと言い寄っているらしいのを知ると、〈しまいには、口数の多い、押しの強いほうに女心は靡くかもしれぬ。そうなると、したり顔で「源氏などはもう振った」みたいなことを言うだろう、それはいかにも嬉しくないぞ〉と思って、また大輔の命婦相手に、真面目くさってあれこれ相談するのであった。

「なあ命婦、どうもわけがわからない。姫君はどうしてあんなふうに素っ気ないのであろうか。私としてはそれが辛《つら》いのだ。もしかして、私の気持ちが、いい加減な浮気ずくだと誤解しておられるのではないかな。私は、決してそんな器用に次々と心を移すなんてことはできないのだがな。とかく女というものは、どうも鷹揚《おうよう》なところがなくて、心外なことばかり起こる、そうするとこちらも思いが冷めるのもしかたあるまい。でもな、そんなことが結果的に、源氏は移り気な男だと誤解されるもとになる。もっとこうのんびりとして、親やら兄弟やらの横やりや入れ知恵などもなくて、逢えばいつも心を許して過ごせるというような人だと、却《かえ》ってかわいらしく思えるものだろうにな」

命婦は答える。

「ですからね、お考えになっているような、心を許せる御休息所としては、さあ、あの姫のところはどうでしょうか。姫君は、ともかく恥ずかしがり屋で、内向的なご性格で、ちょっと世にも珍しいありさまの方だものですから」

と見ているとおりのことを源氏に伝える。

〈なるほどな、あの姫は、世慣れていて才覚があるということではないのだな。だけれど、おっとりと子どもっぽい人だったら、それはそれでかわいくてよろしいのだが〉と源氏は、なおあの姫君を忘れることができずに命婦にあれこれと言ってきた。

そうこうするうちに、瘧病《わらわやみ》を発病して北山《きたやま》に籠《こも》ったり、紫《むらさき》の君《きみ》を発見して言い寄ったり、また人知れず藤壺《ふじつぼ》の御方のことに懊悩したりして、ついこの常陸宮の姫君のことは取り紛れ、春も過ぎ、夏も終わった。

源氏、命婦に姫君への仲立ちを催促

秋になった。

源氏は、まだ夕顔のことなどを思い出す。そうすると、砧《きぬた》の音が、かつてあの五条の貧家で耳について眠れなかったことなども思い出されて、やはり夕顔が恋しくなつかしくなる。

されば、夕顔もあんな貧しい家で発見したのだから、常陸宮のあばら家に住んでいる姫だって、もしかしたら……夕顔のように優しい人かも知れない、とこう思われ、源氏はまた、しばしば手紙など送ってみるけれど、やっぱり一向に返事は来ない。

こんな女はまったく恋の情《なさけ》を弁《わきま》えぬ朴念仁《ぼくねんじん》で、だいいち、自分の手紙をここまで黙殺されてはなんとしても面白くない。だんだんと、負けるものかという挑《いど》み心《ごころ》さえ添《そ》うてきて、ますます命婦を責め続けた。

「どうなってるんだ。いまだかつて、こんなことはあったためしがないぞ」

源氏は不愉快でしかたない。命婦はいささか気の毒に思って、

「わたくしは、姫君に、源氏さまのことを、かけ離れた存在だとも、似合いの方じゃないとも、そんなことを申し上げたことは一度だってありません。ただ、あの姫君は、何につけても、ともかく遠慮がちで内向的で、それが行き過ぎてお返事を書く手も出せないのだろうと、わたくしは拝見しているのですが……」

など慰《なぐさ》めるが、源氏は納得しない。

「何を言ってるんだ。それこそ世間知らずというものではないか。まだものの道理も弁えぬような年頃《としごろ》だとか、親がかりで自分の頭の蠅《はえ》も追えぬような身の上だとか、そんなことだったらおまえの言うように恥ずかしがり屋でなにもできぬというのも分からぬではない。しかし、姫君は、親もいないんだし、年齢だってさような幼いことではないだろうに、いくらなんでも、そろそろ落ち着いてなにごとも自分で考えることくらいできるはずだと思うからこそ、ああやって手紙など差し上げてるわけじゃないか。私はね、なんというこどもなく、私自身も物思いがちで心細い身の上だからこそ、あの姫君も同じように思ってお返事などくれたなら、それだけで、願いがかなったような気持ちがするというものさ。別段、なにやかやと色事めいた方面ではなくて、ただただあの荒れ果てた邸の簀子《すのこ》に佇《たたず》んでみたいというだけのことなんだからね。それなのに、書いても書いても返事がないのは、ますます訳が判《わか》らないという気分になる。この上は、姫君のお許しがなくても、こちらから参上してお目にかかれるように、ちゃんと計《はか》らってほしい。焦《あせ》って、けしからぬ振舞いなどは断じてしないから、わかったね」

と、源氏は一気に決着を付けようとする。

命婦はつくづくと心に嘆《なげ》いた。

〈あーあ、源氏さまが、相も変わらず世間の女たちの話を、なんでもないような顔をして聞き集めては、これという者のことは耳に留めておくという癖がおありなので、なにかと手持ちぶさたな宵《よい》の話題に、まあ話の種として、こんな方がいますよと申し上げただけのつもりだったのに……こんなふうにすっかりその気になって、……あれこれ言い募《つの》られるのは、いいかげん煩《わずら》わしいし、あの女君のご様子だって、べつに女らしい魅力があるでなし、とくに才覚があるということもないのに、中途半端な手引きをしてしまって、かえって姫君にはお気の毒なことが露見してしまうかもしれない〉などと後悔したけれど、源氏がこれほどまでに真面目くさって言うのに、まさか無視するのもまともなことではあるまい。

この姫君という人は、父宮が存命のころですら、すでにもう時流に遅れた家柄だというので、ほとんど訪問する人もなくなっていたのに、まして今となっては、草茫々《ぼうぼう》の邸をわざわざ訪れる人とてないところへ、このように世にも珍しい立派な方からお手紙などが届けられるものだから、生半可《なまはんか》な女房どもは、ただもう嬉しくてニヤニヤし、

「姫さま、やっぱりお返事を申し上げなさいませ」

などと勧《すす》めるけれど、肝心《かんじん》の姫君は、それはもう呆《あき》れるくらい内向的な心で、せっかくの素晴らしいお手紙をまともに目にも入れずに放置していた。

命婦は、〈そういうことなら、しかるべき機会を捉《とら》えて、源氏がせめて御簾越しにでも話をできるように取り計らって、それでもし源氏のほうでお気に召さなければ、それきりでおしまいになるだろうし、あるいは、万一にもお気に召して、かりそめにも通われるというようなことになったとしても、今さら誰にも文句は言われまいし〉などと、浮気でお調子者の心に、軽く考えて、父の兵部大輔にも、この一件は話さずにいたのであった。

源氏、常陸宮邸にて、姫君と逢う

八月《はづき》二十余日《にじゅうよにち》、宵を過ぎ夜が更《ふ》けてもなかなか月は出ない。待ち遠しい思いをしている

と、空にはただ星の光ばかりがさやかに見え、松の梢《こずえ》には秋風が心細い音を立てて吹き渡る。姫君は、父宮存命の昔のことなどを物語っては、また寂しさに嗚咽《おえつ》を漏《も》らしている。命婦は、こんな時節こそ良い折と思って手紙で知らせておいたのだろうか、源氏はいつものように、お忍びでやってきた。

その頃、月がようやくさし昇って、薄暗い月光に照らされた庭の垣根のひどく荒れ果てているのが、なにやら気味悪げに眺められた。源氏は呆然《ぼうぜん》とこの庭を眺めていると、邸うちでは、命婦に勧められたのであろう、姫君が琴《きん》をかすかな音《おと》で掻《か》き鳴らすのが聞こえてきて、源氏は、なかなかの風情だと思う。

しかし、姫君の琴《きん》の音《ね》はどこまでもささやかで景気《けいき》が悪いので、〈もう少し今風に華やかな気分を添えたいものだけれど〉と、命婦の遊び好きな心には物足りなく思われた。源氏は、この邸がまるで人目のない所なので、気安く入ってくる。

そして命婦を呼んだ。

もとより申し合わせておいたことに違いないのに、命婦は、今更らしくびっくりして見せて、姫君に知らせる。

「まったく困ったことが出来《しゅったい》いたしました。先日お見えの源氏さまが、また突然にお出《い》でになりました。じつは、源氏さまからは毎々《まいまい》お手紙を頂戴しておりますのに、お返事も差し上げないもので、それをいつもお恨みなさっておいでなのですが、なにぶん、こんなことはわたくしの心のままにもならぬ由《よし》を申しまして、お断わりばかりしておりますのでね、それで、おんみずからよくよく事を分けて申し上げたいと、そんなふうにおっしゃいましてね。それでお出でになったというわけで……。さて、どうお答えしたらよろしゅうございましょうか。ほかならぬ源氏さまですから、並々の殿方の軽々しいお振舞いとはいっしょにできませんしね。せっかくでございますから、どうでございますか、御簾越しにでも、お話だけでもうけたまわってご覧になりましては……」

しかし姫君はひたすら困惑のていである。

「そんなこと……人になにかお話しする仕方《しかた》も知らないのに」

と言いながら、じりじりと奥のほうへ躙《にじ》り退《の》いていく様は、いかにも世慣れない様子である。命婦は苦笑する。

「まあまあ、そんな子どものようなことでは……わたくしどもも困ってしまいます。どんなに高貴なご身分のお姫さまでも、親などがおいでで手厚くお世話をなさっている時分であれば、そのように子どもらしいのもよろしゅうございますが、こう後ろ楯《うしだて》もない心細いお身の上でございますのに、なおそのようにどこまでも遠慮ばかりしておられましては、おかしゅうございましょうに」

と命婦は教え諭《さと》すのであった。すると、さすがに姫は人の言うことを強くも拒絶できない気性なので、

「わかりました。お返事まではとてもできかねますが、ただお話を聞くだけですよ、格子を下ろし錠《じょう》を鎖《さ》してということならば……」

と言う。命婦はさらに諭す。

「仰《おお》せの通りでしたら、源氏さまを簀子までしかお通ししないということになりますが、それはいくらなんでも失礼と申すもの。源氏さまに限って、姫さまのお気持ちを踏みにじるような無分別は、ゆめゆめなさいませんから……」

などと、よくよく説き聞かせて、障子《そうじ》を命婦自身の手でしっかりと閉め、姫のいる母屋《もや》とはその障子を隔てた外側の、廂《ひさし》の間《ま》の入口の柱間二つほどを仕切って、源氏のための御《お》座《まし》を調《ととの》えた。

姫君は、こんなことはとても恥ずかしくてたまらないと思ったけれど、これほどの人に

対して口をきく場合の心構えなど、いっこうに知らないのであってみれば、命婦がこう言ってあれこれ取り持つのを、そういうものかと思っている。

乳母《めのと》などの老いた女房たちは、それぞれの部屋に退《しりぞ》いて臥《ふ》しながら夕方の居眠りなどしている時分であった。若い女房たちが二人、三人ばかり、世間でもてはやされている源氏の姿を一目でも見たいものと思って、すっかり気合いを入れている。命婦は、姫君をみっともなくない程度の衣《ころも》に着替えさせ、なにかと取り繕《つくろ》うのに大忙しであるが、肝心のご本人はただぼんやりとして、命婦のなすがままにしている。

源氏は、もともと限りなく美しい風姿《ふうし》であるのに、そのうえさらに、忍び忍びの恋路のために、特にまた粋《すい》を凝《こ》らした出で立ちで、それはもうなんとも言えず色めいている。

〈……こんなお姿は、その素晴らしさが分かる人にこそ見せたいものだが、この姫君のぼんやり加減ではなあ〉、と命婦はうんざりとするのであった。

ただ、それでも、〈このおっとりとしたご性格の姫君ゆえ、とくに出過ぎたことをして恥をかくということもあるまいから、そこだけは大丈夫かもしれない〉と思いもする。

いつも源氏に責められて、とうとうこういう逢瀬《おうせ》を手引きしてしまったこと、それは源氏に対しては面目が立つかもしれないが、〈姫君にとっては物思いの種になりはすまいか〉

と命婦は心苦しくも思っている。

源氏は、〈これほどの身分の姫君だから、いっそ粋《いき》がって派手々々《はではで》しく格好をつけているようなのよりは、こういう引っ込み思案で古風なほうがずっと奥ゆかしいな〉と思っている。ところへ、どうやらその姫君が、命婦らの女房たちに交々《こもごも》勧め立てられて、だんだんと躙《にじ》り寄ってくる気配がしてきたが、ただ黙っていて、衣に焚《た》きしめた「裛衣香《えびとう》」が馥郁と薫り立って、源氏のところへも親しみ深く届いてくる。そのおおらかな接近の感じを、源氏は〈思った通り、古風で奥ゆかしいぞ〉と思っている。

源氏は、このときとばかり、もうずっと長いこと恋い慕っていたというようなことを、言葉巧《たく》みにそれからそれへと口説《くど》き続けるけれど、姫君のほうでは、手紙の返事すら書けないくらいだから、まして、すぐそこに来ている男に対して直接答えるというようなことができようはずもなく、ひたすら黙っている。

「やれやれ、しかたがないな」

源氏はため息をついた。

「いくそたび君がしじまにまけぬらむ

ものな言ひそと言はぬ頼《たの》みに

いったい何度、私はあなたの沈黙《しじま》に負けたことでしょうか。
ただ、どんなにお答えくださらなくとも、これ以上は物を言うなとは
おっしゃらなかったのだけを頼みに何度も手紙を差し上げた私でしたが……

どうせなら、駄目なものは駄目とおっしゃってください。良いとも悪いともわからず『玉だすき』のように二股《ふたまた》をかけられるのは、あまりにも辛いことです」

源氏は、「ことならば思はずとやは言ひはてぬなぞ世の中の玉だすきなる（同じことなら、どうして、もう好きではありませんとはっきり言ってくれないのですか、私たちの仲は、なぜに、こうどっちつかずなのでしょうか）」という古歌を下心に含めて恨みわたったのだが、さて姫君に通じたかどうか、相変わらず、姫君は何も言わない。

これには、姫の乳母子《めのとご》の侍従《じじゅう》という才気《さいき》煥発《かんぱつ》の若い女房が、〈ああじれったい、そばで見ているのも辛いわ〉と思って、姫のそばに寄って自ら答えた。

「鐘《かね》つきてとぢめむことはさすがにて
答へまうきぞかつはあやなき

あの法華《ほっけ》講《こう》のお談義のときに、鐘を合図に沈黙の行《ぎょう》に移るごとくに、
あなたにも沈黙せよとはとうてい申し兼《か》ねますが、
さりとて、そのお言葉に応《こた》えよと言われましてもそれまた致し兼ねるというのは、
われながらわけのわからぬことでございます」

とまあ、こういう気のあるような無いようなことを、姫君になりすまして詠んでみせた。ところがこの声は、若々しく華やかで、源氏は、〈重々しいお血筋の姫君にしてははかになれなれしいがなあ〉と意外な感じに聞いたが、それでも、あの何も答えなかった姫が答えたのはいかにも珍しいので、また、

「そのようにおっしゃられましては、私のほうも口がきけなくなります。

言《い》はぬをも言ふにまさると知りながら
おしこめたるは苦《くる》しかりけり

軽々しく思いの丈《たけ》を言わないのはぺらぺらと言うよりはずっと勝ることとは知りながら、それでも唖（おし）のように黙って、心におし込めておいでなのは、私には苦しいことでございます」

というように、わけもないことを、戯《たわむ》れ言《ごと》のようにも、あるいは真剣らしくも、なにやかにやと言いかけてみるけれども、結局、何の甲斐《かい》もないことであった。

〈いかになんでも、これほどまでに黙殺するというのは、よほど風変わりな、また考え方なども異様な人ではなかろうかな〉と源氏は癪に障って、こうなれば実力行使とばかり、隔てた障子をそーっと引きあけて押し入っていった。

命婦は慌てた。〈さても源氏は、けしからぬ振舞いはしないと油断させて、こんなことを……〉と思うと、このまま源氏が姫君の閨《ねや》に入れば、姫が恥をかくのは必定《ひつじょう》であることが想像されるだけに、それを見て見ぬふりをすることがせめてもの人情だと思う。それゆえ命婦は、いちはやく音も立てずに自分の局《つぼね》へ姿を潜《ひそ》めてしまった。しかし、そういう人情を解《かい》しない若い女房たちは、世に比類なき美男として鳴る源氏のことゆえ、この振舞いを咎《とが》める気持ちもなく、大騒ぎをして嘆くこともできず、ただただ、思いがけないことがにわかに起こったところが、姫君自身に、何の心の用意もないことだけを心配するのであった。

そうこうするうちにも、源氏に抱きすくめられた姫君本人は、ほとんど我を忘れてしまって、ただひたすら恥ずかしく、どこかに身を隠してしまいたいと思うばかり、他には何も考えることすらできない。そのおろおろする姫君の様子を察知して、源氏は、〈男女《おとこおんな》の仲の始まりは、こんなふうに恥じらっているのが味わい深いぞ、なにしろまだこんなことには馴れていない、ほんとうの箱入りの姫ゆえ……〉と、そのウブすぎる様子を大目に見るいっぽうで、それでも、なにやらわけもなくかわいそうな気がせぬでもない。

それにしても、この姫のいったいどこにそんなに執着すべきところがあったのであろうか。

源氏は、そのことが終わっても、おろおろと恥ずかしがっているばかりの姫君の様子に、いっこうに何の感興《かんきょう》も覚えず、さすがに大きなため息をついて、まだ真っ暗なうちに帰ることにした。

命婦は、いったいどうなっただろうかと、この源氏の狼藉《ろうぜき》の一部始終を遠からぬ自室から聞き耳を立てて窺《うかが》っていたけれど、こうなれば、何も知らなかったことにしようと思って、たぬき寝入りを決め込んだ。それゆえ、源氏が帰るに際しても、「お見送りを……」と、女房たちに声をかけることもしなかった。

源氏は、そのまま誰に見送られることもなく、そーっとまた忍び忍びに帰っていった。

二条の邸に帰って、そのまま臥してからも、源氏は〈それにしても、なんだか、思う通りにはならぬ世の中だな〉と、期待した姫が夕顔とは大違いであったことを思ってがっかりした。まして、常陸宮の姫君という軽からぬ身分であることを思うと、上流の姫なのにあの程度か……どこにも取り柄のないことだと、痛々しい思いに駆られるのであった。

そうやってあれこれと物思いに耽《ふけ》っているところに、頭中将がやってきた。

「おやおや、ずいぶんとごゆっくりの朝寝坊ですなあ。なにかわけがありそうに、私には思えますが」

と言う。源氏は、起き上がって、

「おっと、これは気楽な独り寝で、すっかり寝過ごしてしまった。君は内裏から下がってきたところかな」

とごまかそうとする。

「ああ、ちょうど内裏から退出してきたところでね。例の朱雀院《すざくいん》への行幸《ぎょうこう》ですが、今日、楽人《がくにん》や舞人《まいびと》を定められるということで、それを昨夜伺《うかが》ってきたので、父左大臣にも知らせようと思いましてね、それで下がってきたというわけです。だから、これからすぐにまた参内しなくてはなりません」

中将は忙しそうである。

「じゃ、私もいっしょに行こう」

源氏はそういって起き上がると、すぐにお粥《かゆ》やご飯を持ってこさせて、中将にも振舞った。それから、車は源氏のと中将のと二台続けて牽《ひ》かせていったが、二人は一台の車に同乗して、語らっている。

「なんだか、まだ眠そうだね」

中将は、源氏の様子を見とがめながら、

「なにか隠してることがありはしないかな」

と恨みがましく言うのであった。

宮中では、なにやかやと多くのことが定め出《いだ》される日であったから、二人は一日中内裏に伺候《しこう》して暮らした。

後朝の文、夕方に

そういうなかでも、源氏は、あの姫君に後朝《きぬぎぬ》の文《ふみ》を書くことなどすっかり忘れていたことを思い出して、まことに気の毒なことであったと思いながら、それでも夕方になるころに後朝の文を書き送った。

その日は、あいにくに雨も降ってきて、出かけるのはいかにも面倒くさい。初めて契《ちぎ》った女のもとへは、帰っての朝すぐに後朝の文を書いて、またその夜から二日、三日と通うべきところだけれど、いまさらあの常陸宮の邸まで雨宿りがてら出かける気にもならなかった。それでずいぶん遅ればせだけれど、せめて後朝の文だけでも夕方に届けるという異例な結果となったのであった。

常陸宮の邸では、待てど暮らせど後朝の文は来ないし、命婦も、〈いくらなんでも、これでは姫さまがおかわいそう〉と胸を痛めている。が、当のご本人は、昨夜の出来事をただ恥ずかしく思い出すばかりで、朝来るはずの文が夕方になってやっと来たということすら、却って咎めだてする分別もなかった。

その後朝の文には、こう書かれてあった。

「夕霧《ゆふぎり》のはるるけしきもまだ見ぬに
　いぶせさそふる宵《よひ》の雨かな

夕方の霧もまだ晴れる様子が見えぬうちに、うっとうしさもいっそうまさる宵の雨ですね……
あなたの心の晴れ間を待っていてもいっこうに心を開いてくれそうもない、
そこへこの雨では、ますます気が滅入ります

雲の晴れ間を待つようにしておりますが、待っても待ってもいっこうに晴れぬのは、待ち遠しいことで……」

これでは、もう源氏は二度とやって来ないのではないかと、女房たちはがっかりするのであったが、それでも、

「やはりお返事をなさいませ」

とせいぜい勧めてみる。けれども姫君はただもう惑乱しているばかりで、型通りの返事すら書くことができそうもないので、このままでは夜が更けてしまうと思って、女房の侍従がいつものように教えて書かせる。

「晴れぬ夜《よ》の月待つ里を思ひやれ
同じ心にながめせずとも

雨晴れぬ夜に、ひたすら月の出を待っております里人の気持ちを思いやってください。

この長雨（ながめ）に、おなじように物思（ながめ）をしてほしいとまでは申しませんから」

女房たちが口々に言い募るので、姫君は、こんな歌を、仕方なく書いた。紫の紙で、もう古ぼけて色が抜けてしまった情《なさけ》ない紙に書いたけれど、それでもさすがに手跡《しゅせき》はしっかりしていて、前時代風の古風な書体で、恋文らしく散らし書きなどせず、まるで謹直に上から下へ行を揃えて書いた。

〈公文書《こうぶんしょ》でもあるまいし……いやはや、この書きざまは〉と源氏は呆れて、ろくに見るにも及ばず文を放り投げた。そうして、このまま今夜は行かないとすれば、姫はどう思っているであろうかと、なにか心が落ち着かないのであった。

〈「逢うて悔しき恋」とはこういうのをいうのであろうかな……しかし、逢ってしまったものは今さら取り返しもつかぬ。そうではあっても、自分としては、あの姫を心長く、ずっとお世話をすることにしようか〉と、強いて自分に言い聞かせている源氏の心など、姫君付きの女房たちは知るよしもないから、ただひたすら、源氏の仕打ちを嘆くばかりであった。

源氏、常陸宮邸のことはすっかり無沙汰に

左大臣は、夜に入ってから、宮中を退出するときに源氏を同道して自邸へ連れ帰った。朱雀院への行幸の折の奏楽を面白がって、左大臣は息子たちを集めてその話をし、またおのおの舞などを稽古《けいこ》しつつ日々が過ぎていった。そのため、邸うちには楽器の音が、いつもよりは耳にやかましく響き、各自が競って演奏するために、いつもの和気《わき》靄々《あいあい》と上品な合奏とは事変わり、大篳篥《おおひちりき》やら尺八《しやくはち》やらという見馴れない大型の楽器は大きな音を吹き上げるし、太鼓さえ勾欄《こうらん》の側《かたわら》に転がしてきては、左大臣の息子たちが大きな撥《ばち》でドンドンと打ち鳴らしなどして、盛大に音を出している。

こんなわけで、源氏もこの奏楽練習などに追われていたこともあって、ほんとうに大切な女のところにだけは、なんとか時間をやりくりして通いもしたが、あの常陸宮の姫君のあたりは、すっかりお見限りのまま、秋も暮れていった。

常陸宮邸では、女房たちが、等しく源氏の再訪を願っているけれども甲斐なく過ぎてい

った。やがて行幸の当日も近づき、宮中では試楽《しがく》（予行演習）なども行なわれている。そのころに、命婦は参内して源氏に会った。

「姫君は、どうしておられるかな」

源氏は、命婦に尋ねた。内心には、〈まあ無沙汰《ぶさた》ばかりで気の毒な〉とは思わぬでもなかった。

命婦は近況のあらましを語ってから、

「まったく、これほどのお見限りなお仕打ちは、わたくしどもがお側《そば》で拝見しているのも辛いくらい」

と泣きそうな表情になった。

〈さてもさても、命婦は、ほどほどのところにして置こうと思っていたのであろうな。それを、私の好き心から、すっかりめちゃくちゃにしてしまった。……そのことを命婦はきっと、思いやりのない男だと思っているだろうなあ〉とまで、源氏は考える。

しかし、あの姫ご本人が、なにも言わずに、ただぼんやりと塞《ふさ》ぎ込んでいるだろう様子を想像し、気の毒に思うので、

「今は、ほんとうに忙しくて寸暇《すんか》を得ないのだ。そんなことを言われても困るよ」

と答えながら、大きなため息を吐き、

「あの姫君は、いかになんでも物の情《なさけ》というものをご存じないからね、ちょっと懲《こ》らしめようと思うのだよ」

とニッコリ微笑《ほほえ》んだ。その様子は、若々しくて、愛すべき感じで、命婦もついつい口元が綻《ほころ》んでしまう。

〈ほんとうにしょうがない。女たちの恨みを買ってもしかたのない若盛りのお年ごろだし、これほどすてきでは、相手のことを思いやる気持ちも少なくて、自儘《じまま》に振舞われるのも、まあ道理かもしれない〉と、心には源氏を許してしまうのであった。

そうして、源氏は、この大忙しの時期が終わってから、時々は常陸宮の邸へも通ったのである。

雪の夜、常陸宮邸の人々の貧寒さ

あの紫の君を探し求めて自邸に引き取って以来というもの、その君をかわいがるのに夢中で、六条あたりの御方《おんかた》にもますます通うことが稀《まれ》になっていったくらいだから、ましてや常陸宮の荒れ邸のほうは、かわいそうだな、という程度のことはいつも思うのだが、それ以上の気持ちにはなれない。だから進んで通う気にもならないのは仕方のないところであった。

通《かよ》っていったとしてもただ恥じらうばかりで正体の知れないあの姫君の、ほんとうの姿を暴《あば》いてみたいと思う気持ちも特には起こらず、そのまま月日が過ぎた。

ところが、ふと思い直して、いつもあの姫は真っ暗ななかで手探りに触れるばかり、どんな顔つきかさえも見たことがないので、あるいはちゃんと見たら、案外と良かったというようなこともあるかもしれないと考えついた。とはいえしかし、露骨に灯《ともしび》を点《とも》して顔を見るなんて無風流《ぶふうりゅう》なこともしたくはない。そこで……。

まさかこんな宵には源氏が来るはずはないと思って、女房どもがみな気を許してのんびりしていた、ある宵のこと、源氏は、いつのまにかやってきて、またすっと邸に忍び入った。そうして、格子戸の間から覗《のぞ》き見《み》してみるけれど、さすがに姫君ご本人は見えるはずもなかった。室内には、几帳《きちょう》などが、ずいぶん古びて傷《いた》んだままながら、きちんと定めの通りに置いてあって、野放図《のほうず》に押しやったりはしていないので、奥のほうは見えない。

けれども、女房たちが四、五人座っているのが見える。ちょうど食事をしているようだ。見れば、お膳には、唐渡《からわた》りらしい青磁《せいじ》の器《うつわ》を並べているように見えるが、それも時代おくれでなんだかみっともなく、食べ物もいかにも粗末なものを、姫君のお下がりでも頂戴して食っているらしい。

また廂《ひさし》の間《ま》の隅《すみ》っこのほうには、景気悪く寒々しい女房どもが、ほんとは白かったのであろうけれど、もう古びてすっかり煤《すす》けてしまっている衣に、薄汚い褶《しびら》……袴《はかま》めいたものを腰に結びつけている、その様子はいかにも不体裁《ぶていさい》である。それでも、櫛《くし》をだらりとぶら下げるように挿《さ》した額《ひたい》つきなど、宮中の舞姫だまりの内教坊《ないきようぼう》やら、内侍の詰め所の内侍《ないし》所《どころ》にでも行けば、こんな古代めいた風采《ふうさい》の女たちもいることよ、と源氏は可笑《おか》しくなった。まさか、こんな風采の者が宮家の姫君の近くに仕えているとはついぞ知らなかったのである。

その女房の声が聞こえる。

「やれやれ、なんて寒い年かしらねえ。いたずらに長生きすると、こういう世にも遭《あ》うものだこと」

そんなことを言って泣く者があるかと思えば、

「それにしても、故常陸宮様がおいでの頃、あの時分にもなんだか辛いと思ったものだったけれど、今に比べれば天国だったわ。こんな頼りないことになっても、死にもせず日々は過ごせるものだわねえ」

と言って、まるで鳥が飛び立つときのように、ブルブル震えている者もある。

さまざまに、いかにもみっともなく、愚痴を言いあっているのを聞くのも、なんだかやるせない思いがして、源氏はさっさとそこを立ち退《の》き、たった今到着したようなふりをして、格子戸を打ち叩《たた》いた。女房たちは、

「おお、それそれ」

と口々に叫んで、明かりを調え、格子を上げて源氏を室内に招じ入れた。

侍従という才女の女房は、賀茂《かも》の斎院《さいいん》にも兼務している若い人で、この頃は折悪《あ》しくこの邸にはいなかった。それがために、残っているのは、もうどうしようもなく田舎臭い老《ふ》けた女房ばかりで、源氏はなにやら別世界にでも来たような気がしている。

さきほど女房たちが、寒い寒いと言って案じていたようだった雪がいよいよ降り出し、だんだんとひどくなってくる。空の気配は暗澹《あんたん》として風も荒く吹き、点《とも》した灯明台《とうみょうだい》の火が風に消えたが、それを点し直す女房もいない。

源氏は、かつてあのなにがしの院で、夕顔が物の怪《もののけ》に襲われた夜のことを思い出して、荒れ果てた様相はあれもこれもさして変わらないけれど、こっちのほうがいくらか狭くて、人気《ひとけ》が少しはあるのでちょっと安心な気がする。それにしても、ぞっとするような、おちおち寝てもいられないような夜の様相であった。

こんな物すさまじい夜に、もし心の優しい女と二人で過ごしたなら、しみじみと心に響くことであろうし、また普通でないこんな邸のこと、それはそれなりに心に深く刻まれるような按配《あんばい》であったけれど、肝心の姫君が、なにがなんでも頑《かたく》なに黙りこくって何の見どころもないのを、源氏はいかにも遺憾なことに思うのであった。

源氏、逢瀬のあした、姫君の姿を見て呆れる

退屈な夜がやっと終わって、ようやく夜が明けてきた気配がするので、源氏は、自ら立って手ずから格子戸を引き上げ、植え込みに積もった雪を見た。

新雪には人の踏みしめた跡もなく、どこまでも荒れはてて、ひどく寂しげな景色である。源氏は、これですぐに帰ってしまっては、あまりにもかわいそうに思う。

「見てごらんなさい。ほのぼのとして趣《おもむき》のある空ですよ。……でも、結局、いつまでもそうやってよそよそしいままなのは、堪《た》え難い思いがします」

せめてはそうやって恨むらしいことを言ってやる。

外はまだほの暗いけれど、雪明かりに浮かび上がった源氏の姿は、たいそう汚れなく若々しく見えて、老いた女房たちは、ついつい笑《え》みがこぼれてしまうのであった。

「姫様、さあさ、すぐにお出ましを、……そんなふうに頑《かたく》ななのは興ざめでございますよ。素直でかわいげのあるのがなにより……」

女房たちは、そんなふうに姫君を諭している。

すると、この姫は、素直は素直で、近侍の者がそんなふうに勧めるのを拒絶することはできない性格ゆえ、せいぜい衣紋《えもん》などをつくろいながら、じりじりと膝行《しっこう》して、源氏のすぐ後ろまでやって来た。

〈お、来た……〉と源氏は思う。けれども、さすがに露骨に振り向いて姫の顔を見るというようなはしたないこともできかねる。源氏はしかたなく、外を眺めるようなふりをしながら、異常なほどの横目遣いで、姫の相貌《そうぼう》を目にした。

〈はてさて、どんな様子であろう。これで万一にも、親しく顔を見たら思っていたよりは魅力的な女だったというようなことがあれば、嬉しいのだがなあ〉と思ったのは、いかにも希望的観測というものであった。

ちらっと見えた姫の姿、……まずはばかに座高が高い、よほど胴長に見える。〈ああ、やっぱりなあ〉と源氏はがっくりした。

それから、〈あらあら、みっともない〉と見えるものは、その鼻であった。どこよりも先に、その鼻が目についた。なんと、普賢菩薩《ふげんぼさつ》の乗っている、あの象とやらの鼻かと思うような格好である。あきれるばかり大きな鼻で、しかもそれが高く長々として、その先っぽあたりは垂れて赤く色づいているのは、ことのほかに興ざめであった。顔色は雪も恥じらうかというくらい白くて、いや、少し蒼《あお》ざめて見えるくらいで、額がばかに広い。こんなに広い額なのに、全体としてみると、なお顔の下のほうが長く見えるのは、おおかた、化け物のように長い顔なのであろう。

体は痩《や》せに痩せている。まるでお気の毒なくらいに痩せさらばえて、肩のあたりは、とんがって痛そうなくらい、骨が衣の上までごつごつとして見える。

〈ハァッ、さてもさても、なんだってまた、こんなにはっきりと見てしまったものであろう……見なきゃよかった〉と源氏は思う。けれどもまた、こんな女は見たことがないので、怖いもの見たさのような思いで、どうしてもまた、ついつい見てしまうのであった。

頭の格好や髪のかかり具合、そこだけはなかなかかわいげがあって、素晴らしい女君たちにも、おさおさ劣るとも思えない。しかも、袿《うちき》の裾《すそ》あたりに、ずるずると引きずっているのをみると、おそらく床《ゆか》に一尺は垂れているであろうと見える。

顔形をあげつらった上に、服装までも云々《うんぬん》するのはいかにも口さがないようであるが、昔物語にも、こういう登場人物については、まず服装の描写をするのが習いゆえ、どうか許されたい。

で、その服装であるが、仕立ておろしの頃は聴《ゆる》し色、つまり、薄紅《うすくれない》だったらしいのが、ことのほか色あせて白けかえった襲《かさね》の衣の上に、もとは何色だったのか判らないくらい真っ黒に汚れきった袿を重ねて、さらにその上に、ひどく時代遅れの真っ黒な貂《てん》の毛皮衣を着て、そこだけがばかにつやつやとして、ぷんと薫きしめた香が匂っている。まず、大昔の由緒ありげなご装束《しょうぞく》かもしれないが、それでも若い姫君の装《よそお》いとしては、あまりにも似付かわしくなくて、奇怪な感じさえするところが変に目立つのである。

〈もっともなぁ、あの毛皮がなくては、はてさて寒いことであろうな〉と見えるくらい、血の気の失《う》せた顔色なのを、源氏は気の毒に思って見た。

これには、なんとも言いようがなく、こっちのほうが姫君のようにだんまりを決め込みたい気持ちがしたくらいだが、こんなときこそ、例の姫君の沈黙《しじま》を破ってみようと思って、源氏はなにやかやと話しかけてみた。

が、姫君はやはり恥じらうばかりで、口を袖で覆って何も言わない。その様子は田舎臭くて時代遅れで、変に大げさで、まるで儀式の時の司人《つかさびと》が、両肘《ひじ》を張って胸先に笏《しゃく》を構えたときの格好に似ているように思える。しかもどうやら、そんな格好のまま低く笑っているらしい様子は、えもいわれずちぐはぐな感じがする。

あまりにも気の毒で見るに堪えないので、源氏は、大急ぎで帰ることにした。その時、近侍の者に、

「後《うし》ろ楯《だて》となるような頼りになる方もお持ちでないご様子の姫を見初めたわたくしには、あまり疎略でなく親しんで下さるのこそ、願いの叶《かな》う思いがしますのに、相変わらず何も心を許して下さらないのは、わたくしには辛いことで……」

などと言伝《ことづ》てして、最後に一首、
朝日さす軒《のき》の垂氷《たるひ》は解けながら

などかつららの結《むす》ぼほるらむ

朝日が射して、あの軒のつららも解けたというのに、
どうして、そのようにつれなくて、あなたの心の氷は凍ったままなのでしょうか

と詠みかけたけれど、姫君は、返歌もせず、ただ、

「むふふ」

と怪しげに笑ったばかりであった。この様子では、とても返歌など無理そうなので、源氏は、ただ〈気の毒な人だ〉と思っただけで、部屋を出ていった。

車を寄せてあった中門《ちゆうもん》も、ひどくゆがみ曲がっていて、それが夜目にもそれと分かったくらい傷んでいたのだが、暗闇《くらやみ》に隠されていたところも少なくなかった。けれども今、朝の光のなかで改めて見ると、ただでさえみすぼらしく荒れ果ててしまっているところに、松の雪だけが、まるで綿でもかぶせたように、暖かそうに降り積もっているのは、あたかも山里の景色めいて、いっそしみじみとした風情がある。

〈ははぁ、あの雨夜の品定めの折に、左馬頭《さまのかみ》たちが言いそやしていた「荒れ邸に人知れず

美人が住んでいる家」とかいうのは、こういうふうな所であったか。なるほど、あの者たちの言うとおり、こちらが気遣いに胸を痛めるようなかわいらしい女を、こんなところに住まわせて、それでいつも気にかけて恋しがるなんてことをしてみたいものだが……。そしたら、あの藤壺の御方への「あってはならない物思い」なんかも、しばらくはそれに紛れて忘れていることができるかもしれないけれど……〉と、そんなことを思うのに、まったく似合わない、ここの姫君のありさまときたら、〈まるで取り柄もなにもありはしない〉と源氏は思う。

それにつけても、〈こんなのは私だからこそなんとか我慢もできるけれど、他の男だったら、とても堪忍《かんにん》なるまい……私がこうして通い馴れることになったのは、故常陸宮の魂が、きっと姫君の行く末を案じて、ここに居残っているのではあるまいか。それで、その魂が私をここに道しるべしたのかもしれないな〉などと思いもする。

ふと見ると、橘《たちばな》の木が雪に埋もれている。

源氏は、随身《ずいじん》を呼んで、その雪を払わせた。すると、それを羨《うらや》むように、隣にあった松の木が、ひとりでに枝の雪を振り払って立ち上がった。

雪がささざっとこぼれる。それを見て、源氏は、「わが袖《そで》は名《な》に立つ末《すゑ》の松山《まつやま》か空より波の越えぬ日はなし（私の袖はあの有名な末の松山であろうか、……その山を波が越えることがあっても我が恋は変わらぬ、などと昔の人は誓ったようだけれど、とんでもない、私の袖はいつも涙で濡れどおしだから、末の松山を波が越えてしまっているようなものだ）」という古歌を思い出した。

〈……まるであの雪がさっと降り掛かる様子は、末の松山の白波が袖に降りかかるように見える、というようなことを、こういう景色を見ながら語り合いたいものだな、まあもっとも、それほど趣深いことは言わなくてもいいから、せめてなにげなくこういう風雅なことを受け答えできる程度の教養が、女にはあってほしいものだがなあ……〉、と無い物ねだりのようなことを、源氏は思うのであった。

車を引き出すべき門は、まだ錠が開いていない。源氏は鍵の預かりの者を呼び出させると、ずいぶん老いかがまった爺《じい》さんが出てきた。その娘だろうか、はたまた孫でもあろうか、どっちともつかぬような年格好の女もあらわれた。着ているものが雪の白さに対して煤《すす》け汚れているのが目立ち、それもえらく寒そうな様子で、妙な器ものに炭火をちょっとだけ入れて袖で囲うようにして持ち歩いている。老人がなかなか門を開けることができずにいると、その女が寄ってきて助けている、その様子はいかにも不器用な感じである。しかたないので、源氏の供人《ともびと》らが寄ってたかって開けてしまった。その有様を見て、源氏は、思わず、詩歌《しいか》を朗吟する。

　ふりにける頭《かしら》の雪を見る人も
　劣らずぬらす朝の袖かな

ああ、あの老人は、もうすっかり古（ふ）るぼけた頭が真っ白だ。それを見ている私も、降る雪と涙で、別れの朝の袖を濡らすことだが……

と、こんな歌を詠吟したあとで、また思い付いて、白楽天《はくらくてん》の名高い詩を低吟しなどするのであった。

　幼《わか》き者は形《かたち》蔽《かく》れず
　老いたる者は体《てい》温かなること無し
　悲端《ひたん》と寒気と、併《み》な鼻の中《うち》にして辛《から》し

幼い者はろくに着るものがなくして肌もあらわに、
老いた者は冷えきって体中温かなところもない。

その悲鳴のような端《あえ》ぎと寒気とが、いっしょに鼻の中に入ってきてひりひりする

（訳者注：『白氏文集』の古写本は皆悲端〈ヒタン〉と書いて、喘ぐの意に読んだ）

と、ここまで吟じて、源氏は、あの姫君の、象のように長い鼻が寒さで赤くなっていたことを、ふっと思い出し、苦笑を禁じ得なかった。

〈あの赤い鼻なんぞを、頭中将に見せてやったら、いったい何に喩《たと》えることであろうかな……いやはや、あいつもねんじゅうこのあたりを偵察に来ているようだから、そのうちに、見つけられてしまうだろう、まあそれもしょうがあるまいさ〉と、源氏は思うのであった。

源氏、姫君に種々の援助を贈る

仮にあの姫君の容貌が、まず十人並みででもあったなら、そのまま忘れ去って沙汰止みになるところだったが、生半可にはっきりと見てしまったのちは、なにやらかわいそうになって、もはや色気は抜き、生活の面倒をみてやろうという意味で源氏は音信《おとずれ》を欠かさなかった。それにしても着ているものが、一同あまりにも粗末であったことを思い合わせ

て、姫君には、黒貂《くろてん》の毛皮ではなくて、ふっかりした絹や綾織物《あやおりもの》、また綿《わた》などで仕立てて、老いた女房たちの着るもののたぐいから、はてはかの鍵の預かりの爺さんの分まで、身分が上の者から下の者までぬかりなく気を配っては用意してやった。

こんなところまで男のほうから気を配るとなると、場合によっては却って失礼にも当たりかねないところだったが、あの邸の人たちに限っては、そんなこともなさそうなので、源氏は気安い気持ちで、これからはまったく暮らしの援助というだけの、後ろ楯として力を貸すことにしようと思い切って、そのような風変わりな、ふつうならあり得ないような贈り物などをし続けたのである。

いっぽう、あの空蟬の女は、気を許して軒端の荻と碁を打っていた宵に見た横顔は、ひどく不器量であったけれど、〈……それにしてもあれは何かと身のたしなみに気を配っていたせいで、さまで悪くもみえなかった。が、こなたの姫君は、あの女に劣るような身分の人であったろうか……いやいやそんなことはないが……となると、女の善し悪しなどは、身分によって決まるものでもないというわけだったな。ただ、あの女は、穏やかな性格ながらにくらしい程芯の強いところがあったが、とうとう私の負けで沙汰止みになってしまった〉と、なにかにつけて思い出したりもするのである。

年も暮れた。

内裏の宿直所《とのいどころ》に詰めていると、そこに大輔の命婦がやって来た。この命婦については、とくに色恋めいた気分ではなくて、たとえば髪を梳《くしけず》らせてみたりするような、気の置けない相手なのではあったが、それでも折々には、きわどい戯れなどを仕掛けたりしつつ、身近に召し使っていたので、このように特に呼ばなくても、命婦のほうで何か言上すべき用件などがあると、勝手にやってくるのだった。

「じつは、どうもおかしなことがございましてね、申し上げるのもいかがかとは思うし、といって申し上げないのもへそ曲がりのような気もするし、かれこれ思い煩《わずら》っておりましたのですが……」

命婦は、ニヤリとしながらなかなかもったいぶって話そうとしない。

「何のことだね。私には遠慮なんぞしなくたってよさそうなもんだがなあ」

源氏はぜひ聞きたいと思う。

「どういたしまして、なぜ遠慮など致しましょう。いえね、これがわたくし自身のことでしたら、どんな訴えごとでも、おそれながら真っ先に申し上げますけれど、……ただこればかりは、なかなかお話ししにくいところがございましてねえ」

と、どうも奥歯にものの挟まったようなことを言う。

「またまた、いつもの思わせぶりだ」

源氏は恨み言を言う。

「あの……これは、例の姫君からのお手紙で……」

と、命婦は一通の手紙を取り出した。

「なんだ、そんなことなら、ますます隠すには当たらないじゃないか」

源氏は、文を引ったくったが、命婦のほうは、もうそれだけではらはらしている。

手紙は、陸奥《みちのく》の檀紙《だんし》のばさばさと分厚い料紙《りょうし》に、薫物《たきもの》だけはばかに濃厚に焚《た》き染《し》めてある。開いてみると、文章・歌ともに、手はまあまあ良く書けている。

「唐衣《からごろも》君《きみ》が心のつらければ
袂《たもと》はかくぞそぼちつつのみ

唐衣をきる……きみの心が冷淡なので、

私の衣の袂はこのように濡れそぼってばかりおります」

〈なに？　どうしてだしぬけに「唐衣」なんであろうか、なぜにまた今さら唐突に冷淡だの袂が濡れただの、はてさて、なにを言ってるんだ、この姫君は……〉と源氏にはまるで納得のいかない歌で、おもわず首をかしげざるを得ない。それだけでも何事だろうと思っているのに、さらに命婦は、持参した衣箱《ころもばこ》のばかに重そうで古風なのを衣箱包みの綾織の上に置いて、ぐいっと源氏のほうに押してよこした。

「じつは、これ……まことにどうも、お目に掛けるのもお恥ずかしい限りなのでございますが、それでも、元旦の源氏さまのお召し物に、というので、なんですか、妻としてお世話するというおつもりでわざわざ用意されたようでございますから、まさか情知《なさけ》らずにお返しするということもできかねますし、といってわたくしの一存で手元に留めておくということも、姫君のお気持ちに添えないことになりますし、まずまず、ともかくはお目にかけてからと思いまして」

と言う。

「いやいや、手元にしまい込んでしまいなどされたら、私としても切ないことであったろうよ。私は『袖まき干《ほ》さむ人』とても持たぬ孤独な身の上だ、いっそ嬉しいおこころざしではないか、なあ」

源氏は、「あは雪はけさはなふりそ白妙の袖まき干さむ人もあらなくに（淡雪よ、今朝は降らないでおくれ、この白妙の袖を枕にして乾かしてくれる恋人もいないのだから）」という古歌を引き合いに出して、もっともらしいことを言いながら、それ以上はむっつりと黙っている。

〈うーむ、それにしても、おどろき入った歌の詠みぶりだ。まあしかし、この程度があの姫君の能力の限界なのであろうな。これで侍従でもいればもっとましに手直しなどするところだろうけれど、侍従のほかには手取り足取り教える先生もいないのにちがいないな〉と、源氏は、万事休すという思いでいる。それでも、あの姫君がせいぜいがんばって無い知恵を絞り、精根傾けてこの歌を詠んだかと、そのご苦労のほどを想像して、源氏は、

「まことに以《もっ》て、恐れ多き御詠《ぎょえい》とは、こういうのを言うのであろうなあ」

と苦笑《にがわら》いしながら、その文を見ている。命婦は、赤面して、穴があったら入りたい思いに駆られるのだった。

さてその、姫君ご丹精の正月衣装は、と見れば、あの聴《ゆる》し色（淡き紅色）とはことかわ

り、当今流行の濃い紅梅の許すことのできぬくらい……つまりはもうほとんど禁色《きんじき》に近いような色の……艶《つや》のない古めかしい感じの直衣で、それも、裏も表も同じような濃い色を重ねるという按配のうえに、それも何の曲《きょく》もないような凡庸の仕立ての褄《つま》を見せて、衣箱のなかに折り重ねられている。

源氏は、呆れたものだと思って、この文を広げながら、その端っこにいたずら書きのように一首の歌を書きつけている。それを横から覗《のぞ》き見ると、

「なつかしき色ともなしに何にこの

すゑつむ花を袖に触れけむ

親しみを感じる色でもないのに、なんだってまた、この末摘花《すえつむはな》……紅花《べにばな》をば袖に触れたのであったろうかな

さても、紅の色濃きハナであったよなあ」

などと書き散らしてある。

この歌よりして、この姫を末摘花と呼ぶことにしよう。

どうして源氏がこんなふうに色濃い末摘花（紅花）をこきおろすのであろうかと不審が

っていた命婦は、そこにはなにかわけがあるに違いないと思って、月の明るい夜などに見たその面ざしを思い合わせてみると、なるほど、〈色濃きハナは、紅花の色濃過ぎる花、そしてこの真っ赤な垂れ鼻のことであったか〉と合点する。そして、この鼻では、いかにもお気の毒なる姫君ながら、でも可笑しいなあと思ってしまうのである。

「紅《くれなゐ》のひと花衣うすくとも
ひたすら朽《く》たす名をし立てずは

紅染めの衣が、一度きり染めない薄い色であったとしても……そのように薄いお情でありましょうとも……
ただ、姫君の名がすたれるような評判を立てずにおいてくださいますならよいのですが

まことに、お気の毒なるお仲でございますね」

と、いかにも世慣れた風情で独り言のように口ずさむ。歌は上手な歌でもないが、姫君の歌が、せめてこの程度に詠めていたなら、とかえすがえすも遺憾なることであった。この姫君は、なにしろ身分が身分であるだけに、こういう名のすたれるような評判が立つというのは、いかになんでもお気の毒、というところであった。

そこへほかの女房たちが入ってくる。

「この衣は、まあ、隠しておくことにしよう。だいたいね、こちらからお世話をして暮らしが立つようにして差し上げているのに、こんな大げさな装束を作ってよこすなど、まともな人間のすることとも思われぬからね」

と源氏は呻《うめ》くように言った。命婦は、〈どうにもこうにも、なんだってわたくしとしたことが、こんなものをお目に掛けてしまったものだか。わたくしまで気の利かない人間のように思われてしまう。恥ずかしいったらないわ〉と思いつつ、そろりと帰っていった。

翌日。命婦がまたも内裏に出仕していると、源氏が、女房の詰め所、台盤所《だいばんどころ》をひょいと覗き込んだ。そして、

「それそれ、昨日のお手紙の返事だ。どうもね、ついつい余計な気取りをしてしまっていけないが」

と言いざま、手紙を投げてよこした。女房たちは、いったい何事かと、その手紙をみんな読みたがった。源氏は素知らぬ顔で、

「ただ梅の花の色のごと、
三笠《みかさ》の山のをとめをば捨てて

ただ、あの梅の花の色のように、
三笠の山の乙女を捨てて」

という古い民謡を低吟しながら、立ち去っていく。他の女房たちには、何のこととも分からないが、命婦には、源氏が、「紅梅の花の色のように鼻の赤い、三笠山の春日明神《かすがみょうじん》（祭神は常陸の鹿島神社と同じ）にお仕えする常陸の姫君を振り捨てて……」というようなことを仄めかして、こんな民謡を口ずさんだことが分かって、ついついニヤニヤと笑いがこぼれた。それを見た女房たちは、

「まあ、なんですの、その独り笑いは」

と見とがめる。命婦は、

「いえいえ、寒い霜の朝に、掻練襲《かいねりがさね》（表裏共紅）の、あの真っ赤なお好みの色合いのハナでも見えたのでございましょ。源氏さまともあろうお方が、句切れ句切れの変なお歌を……」

と、ますますわけの分からないことを言う。女房たちは、

「なにそれ。なんのこじつけだか分かりゃしない。だって、わたくしたちの誰一人、真っ赤な鼻の人なんかいやしないのに」

「もしかして、左近《さこん》の命婦《みょうぶ》か肥後《ひご》の采女《うねべ》でも交じっていれば別だけど」

など、口々に合点の行かないところをやりあっている。

命婦は帰邸後、姫君に源氏からの返事を差し上げると、姫そっちのけで、女房たちが回し読みをする。

「逢はぬ夜をへだつるなかの衣《ころも》手《で》に
かさねていとど見もし見よとや

ただでさえ、幾夜も隔ててなかなか逢うことができないのに、
たまにあっても二人のなかを衣の袖が隔てて睦みあうことができません。
なのに、その衣の袖を、もっと重ねて、隔てをいっそう重ねて見よというおつもりで、
衣をお送り下さったのですか」

この歌は、なんでもない白い紙に、さらさらと書き流した筆跡であるが、それもまたか

えって風情があるのであった。

晦日《つごもり》の日、その夕方。先に源氏に届けたはずの古めかしい衣箱に、誰か他の人が源氏のお召し料として差し上げた衣一式、それとは別に、源氏方から姫君への新調の軽やかな葡萄《え》
葡萄染《びぞ》め（浅い紫色）の織物の衣、そしてまた洒落《しゃれ》た山吹襲《やまぶきがさね》（表薄朽葉、裏黄色）かなにか、さまざまの色の衣が入っているのを、命婦が持ち帰ってきた。それを見た女房たちは、さては、先日に差し上げた衣の色合いが悪いと源氏が思って、こんなことをされるのであろうかと思い当たりはしたものの、それでもなお、

「あれとて、紅の色の重々しいものだったものを。この軽々しい色合いに、よもや見劣りもせぬ筈」

などと、老いた女房たちは、不満げに断定する。

「お歌だってそうですよ。姫さまの御詠《ぎょえい》は、ものの筋道がはっきりとわかって、しっかりとしたお歌いぶり。それに比べては、お返しのお歌は、ただちょっと気の利いたことを言っているだけで深みがございませんよ」

など、口々に言いあうのであった。

姫君にとっては、あの歌は、苦心惨憺《くしんさんたん》してやっと作ったものだったので、わざわざ手元

の紙に書きつけて残しておいたくらいであった。

正月七日の夜、末摘花のもとへ通う

正月元旦を過ぎて、今年は十四日の男踏歌《おとことうか》の催しがある年に当たっていたので、またいつものように、皇族貴族の子弟たちの器楽の練習の音がにぎやかに聞こえてくる。その騒々しい空気のなかで、源氏は、常陸宮の邸の寂しい佇《たたず》まいを気の毒に思いやっていた。そこで、七日の日の白馬《あおうま》の節会《せちえ》が果てて、夜になってから御前を退出し、そのまま宿直所《とのいどころ》に泊まるということにして、じつはその深夜を待ってあの邸に出かけていった。

行ってみると、こころなしか、邸の空気がいくらか活気をとりもどして世間並みに感じられた。姫君も、すこしはたおやかな雰囲気を身に帯びている。

〈さてな、どうであろう。いま年が改まったんだから、すこしは様子を変えてもいい時だが〉と源氏は思い続ける。

やがて日が昇った。源氏は、いつもよりゆっくりして、日が昇ってから帰ることにした。東の開き戸を押し開けてみると、向かい側の渡殿《わたどの》は屋根も無くなってすっかりあばら屋になっている。その壊れた屋根のところから、いち早く日脚《ひあし》が射し込んで、折しも一面の雪で明るいせいもあって、たいそうはっきりと部屋のなかが見渡された。

姫君は、源氏が直衣《のうし》などを身に着けるのを見やって、奥のほうから、すこし躙《にじ》り出てくると、源氏のすぐ傍《かたわ》らに臥《ふ》せっている。その頭の形、とくにその豊かにこぼれ出た黒髪の色艶《いろつや》はたいそうすばらしい。そこで、源氏は、こうして新しい年になって一つ年を取ったら、生まれ変わったように良いところを見つけられるかもしれないと思って、格子戸を引き上げてみた。とはいえ、以前あらわに見て懲《こ》り懲《ご》りしたので、こんどは戸を全部は開けずに、そこにあった脇息《きょうそく》を持ち出してつっかい棒のようにあてがい、すこしだけ戸が開いている状態にする。これなら薄暗くしか見えないので、夜目《よめ》遠目《とおめ》というものである。そうしておいて、源氏は、鬢《びん》の毛のほつれを繕った。信じがたく古めかしい鏡の台、唐風《からふう》の櫛箱、髪を掻き上げるときに使う箱などを、女房が持ち出してきた。こんなふうに、女所帯でも男の化粧道具がちらほらとあるのは、故常陸宮の遺品らしいのだが、珍しい道具類を源氏は興《きょう》がって見た。姫君の着ている装束は、こないだとは変わって今日はなにやら世間並みになったように見える。それは、源氏が衣箱のなかに入れて贈った当世風の衣をそのまま着ているからなのであった。源氏はそんなことはつい失念していて、なかなか洒落た文様《もんよう》がついた目立つ表着《うわぎ》だな、とばかり、なんだか不思議に思ったという程度のことであった。

「今年はせめて、声をすこしでも聞かせてくれませんか。『待たるるものは』まず差し置いて、あなたがお心を改めてその美しい声など聞かせていただきたいものですよ」

源氏は、「あらたまの年たちかへる朝《あした》より待たるるものは鶯《うぐひす》の声（毎年の新年の朝よりも、待ち遠しいものは鶯の声ですね）」という名高い古歌を引いて、せめて春の一声を所望したのであった。姫君がなんと応えるかと思っていると、わなわなと震える声で辛《かろ》うじて姫は答える。

「さへづる春は……」

なるほど、「百千鳥《ももちどり》さへづる春は物ごとに改まれども我ぞふりゆく（無数の鳥が囀《さえず》る春には、なにもかもが新しくなるけれど、ただこの私だけは反対に古びていきます）」という古歌を引いて答えおおせたというわけなのだった。源氏は思わず、

「そうそう、それでいいのです。さすがに、一つ年を取られた甲斐《かい》がありましたね」

と、そう言って嬉しそうに笑った。やがて、

「夢かとぞ見る……」

と朗誦《ろうしょう》しながら、源氏は部屋を立って行った。「忘れては夢かとぞ思ふ思ひきや雪踏み分けて君を見むとは（この辛い浮世を忘れて、ふと夢かと思った。まさかこんなふうに雪を踏み分けてあなたに会うことができようとは思わなかったから）」という名高い歌を聞かせて、「あなたの声を聞かせてくれたのは夢かと思ったよ」という気持ちを伝えたかったのである。姫君は分かったのか分からなかったのか、ただぼんやりと見送りながら、物に寄り掛かっている。その口を覆った袖の横に、例の末摘花の赤鼻が、たいそうあでやかに差し出ていた。〈ああ、見苦しいことだ〉と源氏は思った。

源氏、二条院でくつろぐ

二条の邸に帰ってみると、紫の君が、えもいわれずかわいらしい幼姿《おさなすがた》で、紅の小袿《こうちき》の上に、何の紋様も織出さぬ桜襲《さくらがさね》（表白、裏紫）の細長《ほそなが》（上着）をいかにもしんなりと着こなしている。その小袿の紅は、ああ同じ紅でもこんなに心に沁《し》みる良い色もあったのかと、今さらながら源氏は思った。その上に着ている細長とて、裏の赤が表地の白の向こうにほんのりと透けて見えるという按配で、これまたまことに上品である。

紫の君は、そういう装いに包まれて、ほんとうに無邪気な感じでいるのは、とてもかわいらしい。

昔かたぎの祖母、故尼君のお躾《しつ》けの名残《なごり》か、まだお歯黒《はぐろ》も染めずにいたものを、源氏が今風に黒く染めさせて、眉毛《まゆげ》なども抜いて改めて眉墨を置かせたので、くっきりとして、かわいらしく清々しく見える。

この若々しい姿を見るにつけても、源氏は、〈それにしても、私はなんだってまた、物好きにも憂《うれ》いの種になるような色恋を、持て余すようなことばかりしているのであろう。こんなにかわいらしくいじらしい女と、いつもいつも一緒に過ごすこともせずに……〉と反省しながら、いつもどおり、またお人形の遊びにつきあっているのであった。

紫の君は、絵を描いて色を塗ったりもする。それがまた、みななかなかの腕前でさらさらと描き散らしている。源氏は、そういうとき、いっしょになってお絵描き遊びに興ずるのであった。

ふと思い立って、源氏は、髪がとても長い女の絵を描いて、その鼻に紅《べに》をつけてみた。すると、こうやって絵に描いて見るのさえうんざりという気がした。

そこでこんどは、鏡のなかを覗き込むと、自分ながら美しい顔が映っている。その自分の鼻にも紅をくっつけて彩《いろど》ってみたところ、こんなにきれいな顔でも、鼻先が赤いなんてのは、やはり見苦しいなあ、と思う。紫の君はこれをみて、大笑いしている。

「僕がこんな変てこな顔になったら、どうする」

と戯れると、姫君は、

「いやあ、そんなの」

と顔をしかめ、もしかしてそのまんま赤鼻になってしまいはしないかと、子どもらしい心配をするのであった。

そこで源氏は、ごしごしと鼻を拭《ふ》く真似をして、

「ややや、まるっきり白くならないぞ。ああしまった、とんだことをしてしまった。帝がどんなにお叱《しか》りになるだろう」

と真面目くさった顔で嘆いて見せる。姫君は、本気でかわいそうだと思って、寄ってきて、自分で鼻先を拭《ぬぐ》ってくれる。

「あの平中《へいちゅう》物語の男のように、顔を墨で真っ黒にしちゃいやだよ。赤いのはまだマシだからね」

と戯《ざ》れ言を言いあっている様子は、いかにもお似合いの妹背《いもせ》の仲と見えた。

春の日がうららとして、いつのまにか霞《かすみ》のかかっている木々の梢《こずえ》が気にかかる季節となり、梅の枝には蕾《つぼみ》がふくらんで咲きかかっているのが、くっきりと目に見えた。階《きざはし》の屋根近き紅梅の木は、いち早く咲く花で、もう色づいている。

紅《くれなゐ》の花ぞあやなくうとまるる
梅の立ち枝《え》はなつかしけれど

紅のハナは、わけもなく疎ましい。

この紅梅の枝の赤い花には心惹かれるのに

こんな歌を朗詠して、源氏は、

「やれやれ……」

と苦々しい顔で小さく呻くのであった。

こういう人々は、これからさき、さてどうなっていくのでありましょうか。乞《こ》うご期待。

紅葉賀《もみじのが》

源氏十八歳十月から十九歳の七月まで

朱雀院への行幸に先立っての試楽

朱雀院《すざくいん》への行幸《ぎょうこう》は十月《かんなづき》の十日過ぎに行なわれる。この度《たび》の行幸は並々ならず見どころが多いものと期待されていたのだが、後宮《こうきゅう》の后《きさき》がたは見物を許されない。このことを残念に思わぬ人とてなかった。帝《みかど》ご自身も、后がたのうちにも藤壺《ふじつぼ》の宮《みや》が参加されないというこが、いかにも物足りなくて、それではというので、本番前の試楽《しがく》の演奏を内裏《だいり》の御前《ごぜん》で演奏させることになった。

源氏の中将《ちゅうじょう》は、青海波《せいがいは》を舞ったが、もういっぽうの演者としては左大臣《さだいじん》家の頭中将《とうのちゅうじょう》が控える。頭中将は、その容貌《ようぼう》、心遣い、ともに人並み優れた公達《きんだち》ではあるが、ひとたび源氏と並んでしまうと、やはり満開の桜花の傍《かたわ》らの山奥の木と見えてしまうのは是非もない。

折しも、夕方の斜光がさやかに射し込み、奏楽の音《ね》は次第に高揚し、おもしろさもひとしおの時分、その舞の手といい、足拍子の踏みようといい、面差《おもざ》しといい、同じ舞を舞っていても源氏のそれは、この世のものとも思われぬ見事さである。また舞いながら詩句を詠唱するのを聞けば、極楽の迦陵頻伽《かりょうびんが》の囀《さえず》るような声で仏が説法《せっぽう》されたというのはこれかと思うほどの美声である。

そのあまりのおもしろさ、情趣の深さに、帝も落涙され、控えている上達部《かんだちめ》、親王《みこ》たちもみな泣いた。

やがてその詠唱が終わって、源氏が袖《そで》をひらりと収めると、それを待ちかねたように、奏楽の音がにわかに華やかに高まり、控えた源氏の顔の色合いも、常にも増して光り輝くばかりに見えた。

東宮《とうぐう》の母君の弘徽殿女御《こきでんのにょうご》は、これほどに称賛すべき源氏の姿を見るにつけても、やっぱり面白くない。

「これでは神様が天上にでもお召《め》しになって寵愛《ちょうあい》しかねまじきご容貌だこと。まったく縁《えん》起《ぎ》でもない」

と聞こえよがしに言うのを、若い女房たちなどは、〈嫌《いや》な感じっ〉と聞き咎《とが》めた。

藤壺は、〈すばらしいこと……〉とは思う。これで、源氏があいうふうにけしからぬ恋慕などせずにいてくれたら、このすばらしさを素直に喜べるのにと、なんだか夢を見ているような気持ちになった。

演奏が終わると藤壺は、そのまま帝のお側《そば》で、夜の御伽《おとぎ》に侍《はべ》ったが、帝は、

「今日の演奏は、あの青海波にとどめをさすね。そなたは、どうご覧になられたかな」

と何心もなく仰《おお》せになる。藤壺は、それを聞くだに、なんだか落ち着かなくて、ろくろくお返事も申し上げない。それで、ただ、

「とりわけ見事でございました」

と素《そ》っ気《け》なく応《こた》えたにすぎぬ。

「あのもう片方の頭中将も、もちろん悪くはなかったよ。舞の様子、手さばきなど、いずれもしかるべき家柄の子は違ったものだね。世に名声を得た舞の名師どもも、それはたしかにおそるべき腕前ではあるけれど、あの中将たちが舞ったような、どこか清新な感じ、素直な美しさというものが無くなってしまっている。試楽の日に、これほどのものをし尽くしてしまったので、これでは行幸の折の紅葉《もみじ》の枝蔭の演奏がさぞ物足りなく見えてしまうだろう……とは思うけれど、でもね、私はそなたにこそ、あの奏楽を見せてあげたい、その一念で、あんなふうに盛大に用意をさせたのだよ」

と帝の仰せは懇切を極めた。

その翌朝、源氏と藤壺文を贈答

翌朝、源氏が密《ひそ》かに藤壺に文《ふみ》をよこした。

「昨日の舞、いかがご覧くださいましたでしょうか。わたくしは未《いま》だ覚えぬ懊悩《おうのう》のうちに舞ったのでしたが、

もの思ふに立ち舞ふべくもあらぬ身の
袖うち振りし心知りきや

物思いのために、立って舞うなどろくろくできませぬわが身でしたが、ああして袖を振って舞ったわたくしの気持ちがお分かりいただけましたか

恐れ多きことながら」

源氏の文にはこんなことが書いてあった。それに返事を書くべきではない身のほどであったけれど、あれほどすばらしかった源氏の舞姿、その容貌に、見過ごしにしていることもできなかったのであろう、藤壺はさっそく返事を書いた。そこに、

「唐人《からびと》の袖振ることは遠《とほ》けれど
立居《たちゐ》につけてあはれとは見き

あなたの舞われた青海波は、唐人が伝えたと聞きます。
その唐人が袖を振って舞ったことは、もう遠い昔のことですけれど、
きのうはあなたの一挙手一投足をしみじみと見たことでした

おおかたのところはそのように拝見しました」

とあった。こんなふうに、一見そっけないように見せて、しかし内々《うちうち》には心の籠《こも》った返事を頂戴《ちようだい》できたのは、限りなく珍しく嬉《うれ》しいことで、こんな異国の舞楽の由来にまで暗からぬ教養を持っている藤壺の、品格ある歌の柄に、源氏は、〈……もうすでにお后としての格を十分に備えておられる〉と、嬉しくなって、ひとりでに笑《え》みが漏《も》れた。そうして、まるで手元を離さぬ経典《きようてん》のように、藤壺の文を引き広げて、いつまでもいつまでも見入っているのであった。

朱雀院への行幸

行幸には、親王たちなど、宮中こぞってお供していった。そのなかに、東宮も含まれていた。楽人《がくにん》の乗る龍頭《りようとう》の舟、また鷁首《げきしゆ》の舟が池を漕《こ》ぎ巡《めぐ》り、唐土楽《もろこしがく》、高麗楽《こまがく》と数を尽くして舞われる、あれこれの舞。管弦の声、鼓《つづみ》の音が天地を響かせている。

帝は、あの試楽の日の源氏の舞姿があまりにも美しかったので、万一にも悪霊《あくりよう》に魅入《みい》られたりすることがないように、各所に僧侶《そうりよ》を配置してぬかりなく読経《どきよう》をさせてもいた。その殷々《いんいん》たる声を聞く人は、あれほどの美貌ならば帝がご案じになるのもむべなるかなと思って、帝のご心中を察するのであったが、ただひとり弘徽殿女御だけは、〈なにをわざとらしく、読経など〉と憎々しく思っていたのである。

また源氏が舞うときに、一団となって奉仕する陪奏《ばいそう》の楽人たちとても、殿上人《てんじようびと》であれ、殿上を許されない身分の者であれ、ともかく水準以上の腕前だと自他共に許すような名人上手ばかりを選びだしたことであったし、また、それらの楽人の指揮には、参議《さんぎ》二人、左《さ》衛門督《えもんのかみ》・右《う》衛門督がそれぞれ当たったというほどの盛儀《せいぎ》であったから、これに任ぜられた者どもは、それぞれに舞の師のなかでも、飛び抜けた名手を招《まね》いて、おのおの家に取り籠《こも》って稽古《けいこ》に励《はげ》んだことであった。

高く茂る紅葉の蔭に、四十人の陪奏者《ばいそうしゃ》が居並んで、切々嘹々《せつせつりようりよう》と吹き立てるその楽音に響きあうように松風の音が和《わ》し、あたかもほんとうの深山颪《みやまおろし》かと聞こえるほどに音が交錯《こうさく》し、そこへ色とりどりに散りまがう木の葉を分けるようにして、青海波を舞う源氏が現われ出でる様子はまさに光り輝くばかり、なにやら恐ろしいほどの美しさである。その鳥《とり》兜《かぶと》の被《かぶ》り物に付けた紅葉の枝は、もう盛りをすぎて散り加減であったので、源氏の顔《かお》ばせの光に比べて気圧《けお》された感じに見える。そこで、御前に咲いていた菊の花を折らせて、近《この》衛府《えふ》の左大将が紅葉の枝と差し替えた。

日が暮れてくると、わずかにおしるしばかりの時雨《しぐれ》が降って、あたかも空の様子までが、源氏の舞を見ては感涙にむせんでいるかのごとくに見えた。ましてや、地上で見ている人たちにとっては、これほどの圧倒的な美形に、霜《しも》に当たって風情豊かに色変わりのした菊の花の挿頭《かざし》の彩《いろど》りまで添うて、今日はまた特別の機会だというので、無双《むそう》の舞の手を尽くした上に、退場に際しての入綾《いりあや》の舞を披露するさまなども、それはもう鳥肌の立つほどの素晴らしさで、まさにこの世のものとも思えず、こんな風情《ふぜい》など感じ分けることもあるまじき下人《しもびと》どもまで、木の下、岩の蔭、また築山《つきやま》の向こう側で木の葉に埋もれながら見物して、少しでもものの情理《じょうり》を知るものは、ひとしく落涙せぬはない。

承香殿《しょうきょうでん》の女御腹《にょうごばら》の第四の親王《みこ》は、まだ子どもながら、秋風楽《しゅうふうらく》を舞ったのなど、源氏の青海波についでの見ものであった。これらの舞に面白さもとどめをさしていたので、他の舞どもには、もはや目も移らない。あるいは却《かえ》って興ざめくらいに見えたかも知れない。

その夜、源氏の中将は、その見事な舞の褒美《ほうび》に加階《かかい》して正三位《じょうざんみ》に昇り、頭中将も、従四《じゅし》位上《いじょう》から正四位下《じょうしいげ》に昇格した。上達部どもも、みなしかるべく加階を賜《たまわ》って喜びに浴《よく》したが、それもじつはみな、この源氏の昇格に引っ張られての昇進であったから、さてもさても、このように舞で人を瞠目《どうもく》せしめ、また人心を喜ばせたという、源氏の前世の善因はいかばかりのことであったろうか。

葵上の不機嫌

藤壺は、そのころ里下がりをしていたので、源氏はまたもや、なんとかして逢瀬《おうせ》を遂《と》げる隙《すき》はないものだろうかと、しきりと窺《うかが》うのをもっぱらとしていたため、左大臣家のほうからはなにかと小言を言われる。そればかりか、あの紫《むらさき》の君《きみ》を引き取ったということについても、二条の邸《やしき》のほうに女を迎えたそうだという噂《うわさ》が聞こえてきたので、正室の葵上《あおいのうえ》は、甚《はなは》だしく不愉快に思っている。

〈しかし、葵土《あれ》は、私のほうの内々の実情などはご存じないから、まあ、ああして不愉快に思うのは無理からぬところがある。……けれども、そんなことも、ふつうの女のように、ありていにすなおに、恨《うら》みごとでも言ってくれれば、自分だって、腹を割ってちゃんと話して慰《なぐさ》めてやろうというものだが、もう自分としては心外極まるようなことにばかり邪推して、なんだかんだと言われるのはほんとうに不愉快だ。そんなことをしているから、こちらだってついついあるまじき浮気沙汰《ざた》をしでかすんじゃないか。まったくあの人というものは、よろずにご立派で、どこといって「欠点」がない。また、自分としては、だれよりも先に契《ちぎ》りを結んだ人なんだから、それなりに愛《いと》しいとも思い、大切にも思う気持ちが、むろんある。だけれど、それがどうも、今のところはまったくお分かりになっていないようだ。……が、いずれはそういう自分の思いも分かってくれて、思い直してくれる時も来るだろうか……〉と、結局のところ、源氏は、葵上の穏やかで落ち着いた性格を、自然と頼りにしている、そういう意味では、葵上は格別の人なのではあった。

紫の君は、源氏に懐《なつ》いてくるにしたがって、その性格も外貌もますます申し分なく、ほんとうに無邪気に源氏にむつまじくまとわりついて過ごしている。

ただ、この子が誰であるかということは、当面誰にも知らすまいと源氏は思って、今なお、いちばん離れた西《にし》の対《たい》に、部屋の調度《ちょうど》などまたとなく立派にしつらえて、そこに住まわせている。そうして、源氏自身も明け暮れそちらに入《い》り浸《びた》り、なにやかやと周到に教えこんでいる。源氏自身が筆を執《と》って習字の手本を書きなどして、いわば、外で育てられた我が娘を引き取ったというようなふうに思っている。

紫の君周辺のことについては、事務扱い所、またその担当官なども西の対専用のを別に立てて、よろず心配のないようにきっちりと管理させるようにしていた。

惟光《これみつ》だけはなにもかも知っていたけれど、他の人は、これはいったいどうしたことなのだろうかと、ただただ不審に思っていた。姫君の父、兵部卿《ひょうぶきょう》の宮も、姫が密かにここに引き取られていることなど、なにも知らない。姫君のほうでは、折々は昔のことを思い出す時もあったが、おおかたは亡き祖母尼君を恋しがることのみ多かった。源氏がそばにいてくれるときは、そういう寂《さび》しさも紛《まぎ》れていたが、ときどき泊まっていくという程度で、あちこちの女のところに通うのに忙しい源氏ゆえ、夜はどうしてもどこかに出かけていくことが多かった。いざ出かけようとするとき、姫君が後を慕《した》って追いかけて出て来《き》などするのを見ると、いかにもかわいらしいな、と源氏は思う。

また源氏が二、三日内裏に宿直《とのい》したり、あるいは左大臣方に宿って帰ってこない折々は、紫の君はひどく鬱《ふさ》いでしまうことがある。それを思うと、なんだかかわいそうで、母のない子を育てているような心持ちがして、そうした女通いもおちおちはできないような思いにかられもする。

北山《きたやま》の僧都《そうず》はまた、紫の君が、源氏のところに引き取られて、こんなふうにしているということを聞いて、さても妙なことになったと思いながらも、しかし、やっぱり嬉しいという思いもある。故尼君の法事などという折になれば、源氏はきちんとした格式を以《もっ》て供《く》物《もつ》などを届けてくる。

三条の里邸に下った藤壺を源氏が訪れるが……

藤壺は里かたの三条邸に下がっている。その里下がりの様子がどうしても知りたくなって、源氏はまた、その邸へやってきた。王命婦《おうみょうぶ》、中納言《ちゅうなごん》の君《きみ》、中務《なかづかさ》など近侍《きんじ》の女房が応対に出た。

〈ずいぶん表向きなる扱いだな〉と源氏は内心愉快でない。しかし、その気持ちはひとまず鎮《しず》めて、かれこれ差《さ》し障《さわ》りのない世間話などしているうちに、兵部卿の宮がやってきた。そして、源氏の君が来ているということを聞いて会うことになった。

この宮は、たいそうたしなみのある風采《ふうさい》で、艶《つや》っぽくなよなよとした女性的な美しさゆえ、〈……男にしておくのはもったいない、いっそ女にして逢《あ》ったりなどしたら、さぞ楽しかろうな〉などと、ひそかに眺めている。そんなこともあり、また、紫の君の父、藤壺の兄というご縁もあり、かれこれ深い親しみを感じて、しみじみと語り合いなどするのであった。宮のほうでも、そんなふうに源氏が、いつもとは違って、親しみ深く打ち解けた様子で接してくれるのを、〈ああこの源氏の君はいかにも美しいなあ〉と見とれてしまうほどであった。それで、宮は宮でまた、源氏が実は婿《むこ》というべき人なのだとはつゆほども思わず、ただ〈こう美しいのでは、男ではなくて女にして逢いたいものだ〉と、色好みの心を蠢《うごめ》かせて思うのであった。

日が暮れると、兵部卿の宮は御簾《みす》を押し分けて、藤壺の住む母屋《もや》のうちへ入っていく。

それを源氏は、羨《うらや》ましく思わずにはいられない。

〈ああ、昔は、父帝《ちちみかど》のお計《はか》らいで、すぐ身近なところまで親しみ寄って、人を介してでなく、直接にお話などもできたものを、……今はこんなふうにすっかり疎遠な扱いをされるのは、ほんとうにつらい〉と、源氏は思うのだが、それはいかにも道理に外れた考えようというものである。

せめて源氏は、表向きの言葉を申し入れる。

「もっとしばしばお伺《うかが》いすべきところでしたが、これという用事もございませんときには、自然に音信《おとずれ》も途絶《とだ》えがちになります。されば、何にてもあれ、しかるべきご用事などお申し付けくださいましたら、嬉しいのでございますが」

などと、変に真面目ぶった挨拶《あいさつ》を残して出てきた。

命婦も、これでは源氏の手引きをしようにも方策《てだて》なく、藤壺の様子も、以前に比べると、源氏とのことを、いっそう憂《う》れうべき因果《いんが》と思い定めている。そうして、こんなことになったのも命婦が源氏を手引きしたせいだと思うから、とかく命婦には心を許さなくなっているのであってみれば、命婦はそれを恐れ多くも思い、またお労《いたわ》しいという思いもあるので、源氏がいかにせっつこうとも、命婦は一切取り合わない。

こうして、何の明るい兆《きざ》しもなく、日にちばかりは空《むな》しく過ぎていった。源氏も藤壺も、お互いに儚《はかな》い契りであったと心は乱れ乱れて、いずれも物思いの尽きることがない。

二条院にて紫の君と遊ぶ源氏

紫の君の乳母《めのと》の少納言《しょうなごん》は、二条の邸での結構な暮らしをしながら、〈さても、思いもかけず、源氏と姫君の素晴らしい仲らいを見ることになったこと……、これもみな故尼君が、姫君のお身の上を案じて、一心に仏様にお祈りし、勤行《ごんぎょう》を欠かされなかった、その効験《しるし》かもしれない……〉と思う。しかし、それにつけても、また〈……でも、左大臣邸には、かねてから立派なご正室がおいでだし、君はあちらこちらと、たくさんの女君のところへ通っておられる……今はまだいいけれど、これで姫君がほんとうに成人されたなら、なにかと厄介《やっかい》なことが起こるかも……〉と案じられもするのであった。それでもなお、源氏が、紫の君に対して、他の人とは格別の待遇で接しられる、その寵愛ぶりは、やはり頼もしい限りだとも思う。

尼君の喪に服するということも、母方の祖父母の服喪は三か月の定めゆえ、十二月《しわす》の晦日《つごもり》には喪服を脱がせはしたけれど、かの尼君は親のない姫君のためには、あたかも実母のように懇《ねんご》ろに愛情を注いで育ててきたので、喪が明けてもなお目に立つような色の衣は遠慮して、紅《くれない》、紫、山吹《やまぶき》の無紋地の小袿《こうちき》などを着ている様子は、それはそれでいっそ当世風のはなやかさがある。

源氏は、宮中元旦の儀式小朝拝《こぢようはい》に参るというので、出がけにちょっと紫の君の部屋を覗《のぞ》いた。

「どうかな、新しい年になって、今日は昨日よりはすこしは大人らしくなったかな」

と、源氏はニッコリと微笑《ほほえ》んだ。その様子は、たいそうすばらしくまた若々しい。

姫君はと見れば、元日早々から、お人形を並べてせっせと遊びに余念がない。三尺ほどの高さのかわいらしい置き戸棚に、食器やらなにやらのお道具をしつらえ置いて、また小さな御殿などもたくさん作って、所狭しと取り広げて遊んでいる。これらのお人形道具類は、みな源氏が贈ったものであった。

「あのね、きのう鬼やらいをしましょうって、言ってね、犬君《いぬき》が壊しちゃったのを、直してるところ」

と、さも大切そうに壊れた道具を繕《つくろ》っている。

「そうだねえ、ほんとにそそっかしい人のしわざだね。すぐに誰かに直させておこう。きょうはおめでたい日だから、泣いたりしたらいけませんよ」

こう言い置いて源氏は出て行こうとする。その様子の威風堂々たること、女房たちは、我がちに御簾近くまで出てきて源氏を見物する。姫君も立って出てきて源氏のその盛装を観察しては、またお人形のなかの「源氏」に盛装をさせて、内裏に参るところの真似《まね》をしたりする。

「せめて今年は、もうすこし大人らしくなさいませ。十歳をすぎた人はお人形遊びは忌《い》むものと申しますよ。まして姫君は、こうご立派なご夫君をさえお持ちなんですから、そういうお立場らしくおしとやかになさって、源氏さまのお相手をしなくてはいけませんよ。それなのに、御髪《おぐし》を調《ととの》えるのだって、いやがるんですから、ほんとにもう」

などと、少納言がたしなめている。

姫君があまりに人形遊びにばかり夢中になっているので、こんなことでは恥ずかしいと思うように仕向けたいと思ってかかる諫《いさ》めごとを言うのであったが、肝心の姫君は、心のうちで、〈え、そうかあ、私はそれじゃ、もう夫を持ったということなのね。……この女房たちの夫という人たちを見ると、みんな変な顔したオジサンたちばっかりだけど、私は、ほんとに美しくて若々しい夫を持ったものね〉と、今はじめて悟ったというわけなのであった。

そうは言っても、姫がこんなことを思ったのは、さすがに正月が来て一つ歳《とし》を取った証《しるし》なのであろうと思われる。こうも幼稚な姫君の様子は、なにかにつけてはっきりと目に付くので、御殿のうちの人々も、いったいどうなってるのであろうかと不審に思いはしたものの、さりとて、まったく男女の関係もなく無邪気に添い寝をしているだけの間柄《あいだがら》とは、誰も想像できかねた。

端然としてかわいげのない葵上に源氏不快を感じる

内裏から、左大臣の邸に行ってみると、葵上は、いつものことながら、端然《たんぜん》と取り澄ましていて、可愛げなどはさらになく、源氏はなにやら居場所のない気分になる。

「どうでしょう、新年になったことですし、今年からは少し夫婦らしい親しみを持つように、お心を改められるところが見えたなら、どんなにか嬉しいことでしょう」

そう源氏は言ってみるけれど、葵上は、こんなことを言っている陰で、源氏がわざわざ新しい女を二条の邸に連れてきてかわいがっていると聞き及んで以来は、〈さては、その女を大事な人として心に決めているに違いない〉と、心の隔てのみ置かれて、ますます親しみはなくなり、いっしょにいることが嫌になってしまっているらしかった。

しかし、源氏はそんなことは知っていて知らぬ顔、しいて愛嬌《あいきょう》たっぷりに戯《ざ》れ言《ごと》なども言いかけたりしてみる。すると葵上は、さすがに強情《ごうじょう》を張って無視することもできず、ついつい返事などをしてしまう、その鷹揚《おうよう》な態度は、やはりそこらの女たちとは違ったものであった。

じつは、葵上は、源氏よりは四歳の年長ゆえ、年相応に万事心得顔で、その態度物腰は源氏が気後《きおく》れを感じるほどではあったが、それでも女盛り、非の打ち所もなく整《ととの》った様子に見える。

〈まったく、この方のどこにそんなに不満を感じるゆえんがあろうか、……ただ自分自身のあまりにもけしからぬ行状のせいで、こんなふうに恨みがましい顔をされるのであろうなあ〉と、源氏はつくづく思い知るのであった。

多く並《な》み居る大臣たちのなかで、左大臣は世間の声望も申し分なく、しかも天皇の血を引く正室の腹に儲《もう》けた一人姫とて下へもおかず愛育したのが、この葵上であったから、どうしてもその心の驕《おご》りは覆《おお》うべくもない。だから、源氏が少しでも疎略に扱うのを、心外《しんがい》千万《せんばん》に思ってそういう態度に出る。いっぽう源氏は、自らも帝の子だという気位の高さからして、なにもそう葵上にへりくだるには及ばないと思い思いしている。そうやって、この夫婦は互いに心に隔てを置いて、よそよそしい間柄になってしまうのは是非もなかった。

左大臣も、源氏がこんなに誠意のない心でいるのを、恨めしいとは思うのだが、といって、実際に源氏が邸に来ている時などは、その恨みも忘れて、大切に世話を焼き心を尽くすのであった。

早朝に、源氏が邸から出ていく頃《ころ》おいに、左大臣は、その部屋をわざわざ覗いて、源氏が装束《しょうぞく》を着《つ》けるとみれば、なにやら名高い帯の名品など持ち出してきては、みずから源氏の後ろにまわって帯着けの手伝いまでするなど、そのお沓取《くつと》りでもしかねまじきへりくだりようは、なにやら気の毒なくらいであった。

「こんな立派な帯は、もうすぐ帝のお召しによる内宴《ないえん》などもあるようですし、そのような盛儀《せいぎ》のときにこそ着けたらいいのではありませんか」

と源氏は遠慮するけれど、左大臣は、

「いやなに、その時はまた、もっと立派なのがございますから、これはまずちょっと目新しい風情《ふぜい》の帯でございますからして」

などと、強いてその帯を着けさせる。まったく、万事につけて、この君は、そういうふうに大切にお世話をすればしただけ、し甲斐《がい》もあり、そこにまた左大臣の生き甲斐もあるのであった。だから、源氏の通い来るのがたまさかであっても、やはりこれほどの人が自邸に来通うのを見るのは、なによりの自慢らしくもあった。

そういう美々《びび》しい出で立ちで、源氏が年始の挨拶に回ったのは、そうそうあちこちでもなく、実際には、内裏、東宮、それから朱雀院の上皇のところ、……そして藤壺のいる三条の宮に、源氏はやってきた。

三条の宮の女房たちは大騒ぎである。

「まあ、今日はまた、ことに素晴らしいこと」

「だんだんとご成長になるにつれて、なんだか不吉なくらいに美しくおなりで……」

そんなことを女房たちは囁《ささや》きあっている。その様子を藤壺は、几帳《きちょう》の隙間《すきま》から、ちらりと見るにつけても、また鬱々《うつうつ》と物思いをすることばかり多かったのである。

二月、藤壺、男御子を産む

公式には藤壺の出産予定は十二月《しわす》ということになっていたけれど、もともとこの子は四月《うづき》に源氏との密通によって成した子ゆえ、その月には生まれる筈《はず》もなかった。かくて十二月も過ぎ、一月《むつき》になっても一向に生まれる気配がない。いったいどうしたのだろうと皆心配になって、いくらなんでも一月中にはと三条の宮の人々も期待をし、帝も御子《みこ》の誕生についてはそれなりに用意されることどももあったのだが、すべての人の思いを裏切って、とうとう一月も空しく過ぎた。さては、物の怪《もののけ》のしわざかと、世間の噂などもうるさくなってくるし、藤壺は、ひたすら悲観して、もしやこのお産で自分の命が尽きてしまうのではないかとまで思い嘆いている。そのため、日々気分も良くないし、ただ苦しみの内に時が過ぎていった。

源氏は、あの夜の日付から推算して、いよいよこれは自分の子だと思い当たり、せめて藤壺の安産を祈るために、誰のための祈りということは伏せて、あちこちの名僧や験者《げんざ》に祈禱《きとう》をさせなどしている。

それにつけても、世の中は定めなきものゆえ、もしやこのまま藤壺の命尽きて、自分たちの仲らいもこれきりになってしまうのであろうかと、そんなことまでも嘆きの種となった。

しかし、二月十余日《きさらぎじゆうよにち》、藤壺は無事男御子《おとこみこ》を出産する。

されば、今までの心配などはすべて忘れて、内裏にも三条の宮にも、こぞってお祝いの言葉が溢《あふ》れた。

その陰で、藤壺は、この生まれてきた子のためにも、こんなところで死ぬわけにはいかない、なんとかしてもう少し長く生きたいとは思うけれど、それはまたこの辛《つら》い憂き世が続くのだと思うと、情なくもある。とはいえ、あの弘徽殿あたりでは、どうやらこのお産を忌《い》まわしく思って呪《のろ》いをかけたりしているらしいことを聞くにつけても、これでもし、お誂《あつら》えに自分が死んだと聞いたなら、弘徽殿がたでは、さぞかしそれを物笑いにするだろうと思うと、どうしても我慢ができない。それならば意地でも死ぬものかと、いくらか心が強くなって、ようやく、少しずつ少しずつ快方に向かっていったのである。帝は、この御子を早く見たいものだ、いつになったら見られるのかとお思いになることは限りがない。

源氏、藤壺を見舞うも、皆困惑

人知れずこのお産を気にしている源氏の心としても、この子のことは心配でしかたがない。そこで、人気《ひとけ》のない折を見澄ましては、藤壺のところへ推参《すいさん》して、

「帝もたいそうご覧になりたいご様子ですから、まずは私が拝見して、奏上《そうじょう》することにいたしましょうか」

などと言ってみるけれど、藤壺からの返事は、

「まだ生まれたばかりで、見苦しいところでございますから」

と、にべもなく、どうしても見せようとはしなかったが、それは考えてみれば道理というものである。とはいえ、実際のところは、あっとおどろくほど、それはもう奇妙なまでに源氏その人に生き写しであったのだから、この子が源氏のお胤《たね》であることは紛れもなかった。

藤壺は、産褥《さんじょく》の床にあって、ひたすら良心の呵責《かしゃく》に苦しめられている。

〈……いかになんでもこの生まれ月の二か月もの狂いは、誰が見てもおかしいのだから、

どうしたって女房たちが怪しまないはずはない。……さしたることもない些事《さじ》にさえ、あれこれ毛を吹いて疵《きず》を求める世の中ゆえ、いずれはどんな悪名《あくみょう》が漏れ出てしまうことか……〉と、ひとり苦悶《くもん》していると、世の中は喜びごとに浮き立っているなかで、我が身ひとつのみはなんとしても辛い情ない思いがするのであった。

そんな具合だから、源氏がたまさかに王命婦に逢うことがあって、さまざまに言葉を尽くして藤壺に逢わせてくれるように頼んでみても、何の甲斐もあろうはずがなかった。それでも、若宮のことを、源氏が理不尽なまでに見たがるので、命婦は、

「いったい、どうしてそんなに強引におっしゃるのでしょう。もうすぐお見せする機会も自然とございましょうほどに」

と源氏を牽制《けんせい》しながらも、自身もまた、この道ならぬ逢瀬の一件については責任の一半もあることゆえ、これはこれでまた並々ならず悩んでもいた。

若宮のことは、源氏にとってはやはり負い目のあることで、なかなか公然とお願いすることも叶《かな》わず、

「それにしてもいつになったら、こんなふうに人を介してでなく、直接にあの方とお話しすることができるのだろうか」

と嘆きながら、さめざめと泣くさまは、命婦には、正視に堪えない思いがするのである。

「いかさまに昔むすべる契りにて
この世にかかるなかの隔てぞ

いったいどんなふうに前世から結んでいた契りの結果として、
この世で、こうして愛しい人にも、また我が子にも逢えぬ隔てがあるのであろうな

こんなことは、とても納得できはせぬ」

源氏はそんなことを言う。命婦は、藤壺が恋心と道徳的良心のはざまに懊悩《おうのう》している様子などを親しく見聞きしているだけに、源氏をそうそう素っ気なく見放すこともできぬ。

「見ても思ふ見ぬはたいかに嘆くらむ
こや世の人のまどふてふ闇《やみ》

赤子を見ても物思いに沈む人がございますほどに、見ないでいる人はまたどれほど嘆くことでありましょう。
これこそは子ゆえに迷う心の闇というものでございましょうか

思えばお気の毒に、お二人とも心の安らぐときのないことばかりでございますね」

命婦はそう源氏の耳元でささやいた。

こんな調子で、どうにもならぬまま源氏は帰っていく。藤壺のほうでは、源氏が忍んでくるのだって、人の口に戸は立てられぬことだし、なんとしても無分別な行動だと思いも言いもし、こんなことになったきっかけを作った命婦のことを、以前目をかけて召し使ったようには、もはや気を許すこともなく、睦《むつ》まじく寄せ付けることもしないのであった。ただ、人目に立たぬように、ふつうに接してはくれるのだが、やはり内心には気に入らぬと思っているときもあるにちがいないのであった。命婦はつらくてつらくて、まったくとんでもないことになったと後悔している。

四月、藤壺、若宮と共に、参内

四月《うづき》になって、若宮は初めて参内した。

日数に比してはずいぶん成長がめざましく、もうはや寝返りなどもする。その顔をみると、それはもうびっくりするくらい、まさに紛れるところもなく源氏に瓜《うり》二つの顔つきである。が、帝は、まさか源氏がそんなことをしていようとは想像だにされず、〈まことに、桐壺も藤壺も良く似て、同じように比類なく美しかったから、その子同士も良く似るものだな〉とのみお思いになっている。そして、掌中の玉のように大切に愛育されることは限りもなかった。

もともと帝は、源氏の君を限りなく愛《いと》しくお思いになっていたにもかかわらず、母の身分や後ろ楯《うしだて》のことなど、かれこれ皇族や公家がたの人々の賛同が得られそうもないゆえに、立太子《りったいし》させてやることもできず、それきりになってしまったことが、なんとしても心残りで、やがて源氏となって皇籍を離脱したのちも、臣下としておくのはいかにももったいないほどの人品容貌に成人してゆくのをご覧になるにつけても、心苦しくてしかたなかった。ところへ、こんどはれっきとした皇族出身の藤壺のお腹に、同じように光り輝くほど美しい皇子《みこ》が生まれたので、こんどこそは一点非の打ち所なき珠玉のごとく思って、大事に大事に育てられる。藤壺は、帝が若宮を可愛がられるにつけても、その子の実の父親のことを思って心の晴れる時とてもなく、日々不安な物思いに沈んでばかりいた。

またいつものように、源氏は、宮中の藤壺のもとに来て管弦の遊びなどをしている。そ

こへ帝が、若宮を抱いておでましになり、

「私にも、皇子たちはたくさんあるけれど、そなたばかりは、こんな小さな頃から明け暮れに見て過ごしたものだった。だから、その頃のことが思い出されるのであろうかね、この宮はそなたに、たいそう似ているように思うぞ。もっとも小さなころは、おおかた皆こんなふうなのかもしれないがね」

などと仰せになり、いかにもいかにも、この若宮をかわいらしいと思っておいでなのであった。

その帝の仰せを耳にするにつけても、源氏は、顔色の変わる思いがする。恐ろしく、もったいなく、しかしまた半面嬉しくもあり、胸打たれる思いもする。そんなふうに、源氏の心の中では、さまざまな思いが交錯して、感余って涙がこぼれそうになる。

若宮は、しきりと何か言ったり、にっこりしたりする。そのかわいらしさは格別で、また魔道に魅入られはすまいかと思うほどであった。

源氏は、〈そうか、この子に瓜二つというのであれば、よく自重して、自分のこの美しさも大事にしなくてはいかんな〉などと思っている。これはまた、ずいぶんとうぬぼれていると言わなくてはなるまい。

この一部始終を見ていた藤壺は、とてもとてもいたたまれない思いがして、じっとりと冷や汗が流れた。源氏は、この若宮に対面して、あまりにも自分とそっくりなのを見れば、罪を突きつけられているようにも思うし、いっそ見ないほうがよかったかもしれないとも思って、心乱れ、気分も悪くなって、急ぎ退出していった。

源氏と藤壺、若宮をめぐって文を交わす

自分の邸に帰って、源氏はしばらく横になり、胸の苦しさを鎮《しず》めてから、左大臣邸に行こうと思った。そうしてふと目の前の植え込みの、一面に青々としているなかに、撫子《なでしこ》の花が華やかに咲き出ているのを折り取らせ、その花に付けて、命婦のもとへ文を送ろうとするのだが、書くことはあれこれとたくさんあるようだった。

「よそへつつ見るに心はなぐさまで
露《つゆ》けさまさるなでしこの花

若宮になぞらえながら見るけれど、ちっとも心は慰まないで、かえってあなたが思い出されては、

こうして涙の露に濡れまさるばかりの、この撫子の花でございます『花に咲かなむ』と存じておりましたが、そんな考えなどなんの甲斐もない、わたくしたちの仲らいでございましたね……」

源氏の文にこう書かれてあったのは、「わが宿の垣根に植ゑし撫子は花に咲かなむよそへつつ見む（私の家の垣根に植えた撫子よ、どうか花となって咲いてくれ、そしたらそれをあなたと思って見ることにしようから）」という古歌を引き事にして、撫子の花のような若宮を母藤壺だと思って心を慰めようと思ったりもしたことを、哀しく訴えたのであった。

おそばに余人のいないときでもあったのだろうか、この文を藤壺のご覧にいれ、命婦は、

「ほんの一言だけでも、この撫子の花びらに返事をお書きあそばして……」

と勧めてみる。すると、藤壺も、自分の心にたいそうしみじみと思いの募《つの》っている折であったから、

「袖濡るる露のゆかりと思ふにも
なほ疎《うと》まれぬやまとなでしこ

その濡れる袖の露に縁のある子と思うばかりに、どうしても疎ましく思えてしまいます、
この大和撫子のような子を」

と、そんなことをうっすらとした墨で、まるでその歌を書いたところで書きさして止めたかのような、かりそめらしい筆遣いで書いたのを、命婦は、喜んで源氏のところへ持ち帰った。源氏は、どうせいつものように、お返事は頂けまいと諦《あきら》めてぼんやりと物思いに臥せっていたので、この思いがけない返事には、嬉しくて嬉しくて涙が落ちた。

源氏、紫の君を相手に琴で慰む

そうして、藤壺の文を繰り返し眺めては、ため息をつきながら臥《ふ》せっていても、なんともやるせない心地《ここち》がしたので、例によって、心の慰めに西の対の紫の君のところへ渡っていった。

源氏は、鬢《びん》のあたりもしどけなくそそけ、ゆるゆるとした袿《うちき》姿で、笛を優しげに吹きすさびながら、紫の君の部屋をのぞいてみる。

紫の君は、あの撫子の花が露に濡れたようなしっとりとした風情で物に倚《よ》り臥してい

る。その様子は、かわいらしくまたいじらしい感じがする。愛嬌はこぼれるようであったけれど、源氏が、帰ってきてからすぐに西の対に来てくれなかったことを、いくらか恨めしく思って、いつもとは違う様子でそっぽを向いている。源氏が部屋の端のほうに、スッと座り、

「こっちへ……」

と呼んでも、聞こえぬふりをして、

「入りぬる磯《いそ》の……」

と小さな声で朗詠しながら口を覆っている。その様子がまた、たいそう洒落《しゃれ》ていてかわいらしい。

〈なるほど、「潮満てば入りぬる磯の草なれや見らくすくなく恋ふらくの多き（潮が満ちてくると隠れてしまう磯の藻《も》なのだろうか、逢い見ることは少なくて恋しく思っていることばかり多いもの）」と古歌の文句で来たか。なかなか洒落たことを覚えたな……〉と源氏は、この紫の君の対応に感じ入った。

「おっと憎らしい。こんな大人っぽいことが口をついて出るようになりましたね。でもね、『みるめに飽《あ》く』なんてのはよろしくないのだからね」

源氏は、古歌には古歌の心とばかり、「伊勢《いせ》のあまの朝な夕なにかづくてふみるめに人を飽くよしもがな（あの伊勢の海士《あま》どもが朝な夕なに頭に被るという海松布（みるめ）でもあるまいけれど、朝な夕な、恋しい人とあまりに逢い見る目にもう飽き飽きしたというようなことがないかしら）」という歌の文句をちらりと聞かせて紫の君を軽くたしなめながら、人を呼んで十三弦の箏《そう》の琴《こと》を持ってこさせ、姫君に弾かせてみる。

「この箏の琴というものは、高い音の三弦《げん》が、細くてどうも切れやすいのが困りものだね」

と言いながら、源氏は、敢《あ》えてその箏を平調《ひょうじょう》に下げて調律すると、短く調子合わせの小曲を掻《か》き鳴らしたあとで、琴を姫のほうへ押しやる。姫もさすがに拗《す》ねてばかりもいられないので、たいそう愛らしく弾き始めた。

まだ小さな体なので、一生懸命に左手を伸ばして弦を押し揺らしなどしながら弾奏する、その手つきがいかにもかわいいので、目をかけずにはいられない気持ちになって、源氏はみずから笛を吹きながら、箏の手を一つ一つ教える。すると、姫はたいそう聡明《そうめい》で、難しい調子のあれこれを、一度教えただけでもうすぐに習得してしまうのであった。かくのごとく、何につけても打てば響くような姫の聡明さを、源氏は〈こうあってほしいと思っていたとおりだな〉と満足に思うのだった。

源氏が「保曾呂倶世利《ほそろぐせり》」という、奇怪な名前の曲を、ためしに雅致《がち》豊かに吹いてみると、姫は、さっそく箏でこれに合奏する。その弾きぶりはまだまだ幼いけれど、それでも難しい拍子を少しも外さずに合わせてみせたのは、さすがに達者なものであった。

油火《あぶらび》を灯《とも》して、その光で絵などを一緒に見たりしているうちに、源氏が出かける時間になった。そろそろお時間でございます、という知らせのために供人《ともびと》たちは、しきりと咳払《せきばら》いなどし、やがて「雨が降りそうでございます」と告げた。

姫君は、またいつものように心細くなってしょんぼりしている。絵を見るのもやめ、うつ臥《ふ》してしまったのを見て、源氏はなんてかわいいんだろうと思い、姫の髪がさらさらとこぼれかかっているのを、やさしく撫《な》でながら、

「私がよそへ行っている間、恋しく思うのか」

と尋ねる。すると、姫はこくんと頷《うなず》いた。

「私もね、一日そなたを見ないでいるのは、ほんとうに辛《つら》いのだ。だけれど、まだそなたは幼いから、恋だの恨みだのと面倒なことは思わないでもいいと思ってね、なにしろほかの大人の女たちは、ぐちゃぐちゃと恨み言などよこしたりするだろう、だから、そういう

人たちのご機嫌《きげん》をそこなうと面倒くさいので、まずそっちのほうを優先してこんなふうに出かけ歩くわけなんだよ。もしそなたが成長して立派な女になったら、私はほかにはまったく行ったりはしない。女たちの恨みを買うまいなどと思うのも、畢竟《ひっきょう》長生きして、そなたと心ゆくまで共に過ごしたいと思うからなんだからね」

など、こまごまと話して聞かせると、姫君もさすがに恥ずかしいと思ったのか、返事をすることもない。そうしてそのまま、源氏の膝に寄りかかって寝入ってしまった。源氏は、いかにもいじらしく思って、

「今宵《こよい》は、出かけないよ」

と言う。出かける仕度《したく》をしていた供人たちもみな引き上げて行き、代わりに、夕食の膳《ぜん》が運ばれてくる。

姫君を起こすと、源氏は、

「きょうは出かけないことにしたよ」

と微笑んだ。姫君はすっかりご機嫌になって、起き上がる。そしていっしょに夕食を食べた。それでも、姫君はあまり食欲もないらしく、ちょっとだけ箸《はし》をつけて、

「それじゃ、おやすみくださいね」

と、なにやらまだ心配気にしている。源氏は、こんなけなげな人を見捨てては、死出《しで》の道へも決して赴《おもむ》きがたく思うのであった。

二条院の女のことを聞いて帝が源氏を叱る

こうして、紫の君に引き止められて出かけない折も多くなった。そのことは、自然に人の口に上らずにはおかぬ。やがて左大臣の耳にも届くところとなった。

「まあ、その二条のお邸に据えられた女とは、誰なんでしょう」

「ほんとに癪《しゃく》に障《さわ》るったらないこと。でも、今までその人の名が聞こえてこなかったのに、そんなふうに源氏さまにまとわりついて戯《たわむ》れなどするらしいのは、おそらくそんなには貴《とうと》い身分の教養ある女ではないに決まってるわね」

「内裏あたりで、ちょこっとお手のついた女房ずれを、もっともらしくお邸に据えて、それでも人目に立つといけないと思って隠しておいでなんでしょうね。なんでも、あまり物の道理も弁《わきま》えない幼稚な人とやらいう噂ですけどね」

などと葵上のお側仕《そばづか》えの女房たちは噂しあっている。

帝も、源氏の邸にそういう女がいると聞かれてはご心配になってご下問《かもん》があった。

「なんでも、かわいそうに左大臣がたいそう嘆いているということだが、まことに、あの者は、そなたがまだ若輩だったころから、まるで壊れ物を扱うように大事にしてきた、その左大臣の心を、どうしてそのように蔑《ないがし》ろにあつかうのか。ものの道理が判《わか》らぬという年でもあるまいに」

帝はこう源氏を叱《しか》られるが、源氏は、ただ恐れ入るばかりで、返事もしない。

その様子を見て、〈……さては、あの左大臣の娘が気に入らないのだな、かわいそうに〉とお思いになり、

「しかしな、色好みのほうに夢中になって、このあたりの女房であれ、またあちらこちらの女たちであれ、普通でない関係になっているというような噂も聞かぬようだが、いったい源氏は、どこの物陰に隠れて、そういう人の恨みを買うような好き事をするのであろうかな」

ふとそんなことを側近の者に漏らされもするのであった。

好色な老女源典侍の行状

帝は、かなりのご高齢であったが、この色好みの方面はなかなか見過ごすことのできぬご性格で、采女《うねべ》、女蔵人《にょくろうど》などという配膳係や装束係の女官に至るまで、見目麗《みめうるわ》しく才長《さいた》けた女に、とりわけてお目をかけられるというところがあったので、宮仕えの女たちのなかには、ずいぶん気の利いた者が揃《そろ》っていた時分であった。

そういう女房たちだから、源氏がわけもないことを言いかけても、そうそう唐変木《とうへんぼく》な返事もしない。源氏はもうそんなことに慣れっこになっているのであろうか、変にまじめぶって色好みらしいところはちっとも見せないと思って、こんどは女房たちのほうから、試みに色めいた冗談などを言いかけてみることもあるが、まあ通り一遍のあしらいをする程度で、いっこうに乱れたところを見せない。そんな源氏の態度を、真面目過ぎて物足りないわねえと、本気で思う女房もあった。

そういう女房たちのなかに、ひどく年老いた典侍《ないしのすけ》という者があったが、この人は家柄も賤《いや》しからず、才気煥発《さいきかんぱつ》の質《たち》で、また貴《あて》やかで人の声望も高いのであったが、じつは相当に浮気っぽい性格で、そっちの方面にはどうも軽々しいところがあった。そこで、源氏は〈あんなにいい年になっても、どうしてさようにふしだらなのであろうかな〉と訝《いぶか》しく思ったので、ちょっと戯れに色めいた言葉をかけてみた。ところが、あきれたことにこの典侍という女は、そのことを自分に不釣り合いだとも思わないのであった。

〈どうも、あきれたもんだな〉と源氏は思いながら、しかし、それはそれでまた面白いなどと妙な心を起こして、ふと逢ってみたりもしたのだが、〈いかになんでも人に漏れ聞こえては、あんな婆《ばあ》さんを相手にして、と物笑いになってはいけない〉と思って、それ以後はいっこうに知らん顔をしていた。それを、この老女房はたいそう辛いと思っている。

この典侍は帝の調髪に奉仕していたが、それが終わって、次に装束係が召され、帝は、お召し替えの部屋に出ていかれた。そこに源氏も侍《はべ》っていたのだが、人々が帝に従って出ていってしまったので、部屋には源氏と典侍とが二人だけ残った。

この時の典侍の出で立ちを見ると、いつもよりもこざっぱりとして、姿といい、髪つきといい、変に艶《なま》めかしく、また装束もその着こなしも、たいそう華やかにしていかにも好き者に見える。

〈なにも、そこまで若作りせずともなあ……〉と源氏は、苦々《にがにが》しく思うのではあったが、

〈いったいどういう積もりでいるんだろうか〉と、そのまま見過ごしにもできず、腰に纏《まと》った裳《も》（長袴）の裾《すそ》を、ちらりと引っ張って気を引いてみた。すると、またえらく凝《こ》った絵を描いた夏扇《なつおうぎ》で顔を隠しながら、見返ったその目つきたるや、まあせいぜい力いっぱい流し目をして見せても、なにせまぶたからしてひどく黒ずんでしょぼついているし、頬《ほお》のあたりはげっそりとこけて皺《しわ》だらけときている。

〈なんともはや、あの扇は、いかにも不似合いな〉と源氏は思って、代わりに自分の持っていた扇を与え、取り上げて見てみた。すると、この扇が赤い紙で、それがまた顔に映発するくらいに濃厚な赤の地、その上にこんもりとした森をば、金泥《きんでい》で塗り込めるように描いてある。そしてその片方に、ひどく古めかしい書体で、しかし結構上手に名高き古歌が書き流してあった。

大荒木《おほあらき》の森の下草老いぬれば
駒もすさめず刈る人もなし

大荒木の森の下草もすっかり老いてしまったので、
馬だって食《は》みはせぬし、といって刈る人もない

〈……これはまた、よりにもよって、なんという歌を書いたもんだろうか。うっとうしい趣向だな、これは〉と、源氏はニヤリと笑い、

「こいつは、『森こそ夏の』って趣向かとみえるね」

と混ぜっ返す。これは、「ほととぎす来鳴くを聞けば大荒木の森こそ夏の宿りなるらめ（ほととぎすがああやって来て鳴いているのを聞けば、さてはあの大荒木の森こそはほととぎすどもの夏の宿りなのだな）」という歌を引いて、お前のところは、よほど男どもが宿るのであろうなあと揶揄《やゆ》したのであった。

そのほか、なにくれとなくおしゃべりをしていると、源氏は、〈こんなところを人に見られては疎ましいなあ〉と思うのだが、女のほうは、ちょっともそんなことは思わないと見えて、なおまた歌など詠みかけてくる。

君し来《こ》ば手《た》なれの駒に刈り飼はむ
さかり過ぎたる下葉なりとも

あなたが来てくれたら、そのお手飼いの馬に、刈り草を秣《まぐさ》として食べさせましょう。
もう盛りも過ぎた老い葉であろうとも

などと歌いかける様子は、いかにも色気満々である。

さすがに呆れて、源氏も、

「笹《ささ》分けば人やとがめむいつとなく
駒なつくめる森の木《と》がくれ
この私が笹を分けて入っていったら、おそらくは誰か他の男が見とがめましょうなあ、なにしろたくさんの馬どもが懐いているらしい森の木陰であろうほどに
いや、厄介《やっかい》はご免です」

と言いながら、さっと立って行こうとするのを、典侍は袖を控えて、

「いまだかつて、これほどの物思いに苦しんだことはございません。こんな年になって、今さらながら、たいそう身の恥に存じます」

と泣く様子は、いかになんでもやりすぎというものである。

「まあ、そのうちまた逢うこともあろうさ。なにしろ思いは募っても思うに任せぬ身ゆえ、な」

と言いざま、無理に振り払って出て行こうとする。

典侍は、必死に追いすがって、

「そ、それでは『橋柱《はしばしら》』というおつもりでございますか」

と恨めしく叫ぶ。源氏はこれを聞くや、「限りなく思ひながらの橋柱思ひながらに仲や絶えなむ（限りなく思いはかけていながら、あの古い古い長柄（ながら）の橋の橋柱のように、すっかり朽ちてしまう、私たちの仲なのでしょうか）」という古歌を思い合わせて、ますますうんざりとした思いに駆られるのであった。

このやりとりを、帝はお召し替えが済んで、障子の陰から覗《のぞ》いてご覧になっていた。〈これはまた、なんとしても似合わしくない間柄よな〉とずいぶん可笑《おか》しく思われて、ふっと陰より立ち出られると、帝は、

「ふふふ、源氏は女好きの心もないと、女房どもがいつも困っていたようだが、なに、この様子では、決して女を見過ごしにしているようではなかったな」

とお笑いになった。

典侍はいいかげん面映《おもは》ゆい思いがするけれど、さりとてこれに抗弁する様子もない。思うに、「憎からぬ人の着《き》すなる濡《ぬ》れ衣《ぎぬ》はいとひがたくも思ほゆるかな（恋しい人が着せるという濡れ衣は、恋しさゆえの涙に濡れる一方でいと干（ひ）がたく、でも濡れていてもちっとも

厭（いと）ひがたく思えることです）」と古歌にあるごとく、世の中には、憎からず思っている男のためにはどんな「濡れ衣」でも着たがる……むしろ濡れ衣を着せられて喜んでいる女どももいるということなのであろう。

女房たちは、このやりとりを知って、いくらなんでもあの典侍と源氏とは、なんという思いもかけない取り合わせであろうかと、面白ずくに噂してまわる。これを頭中将が聞き及んだ。

この中将も好き心については人後に落ちぬ。

〈うーむ、さてもさても、あの女とは思い付かなかった〉とこう思うにつけて、あの老女の尽きせぬ好色魂をぜひ見てみたくなり、とうとう、この老女に言い寄って出来てしまった。

源典侍をめぐる頭中将と源氏のかけひき

この中将も、まあそこらの人というわけでなし、あの源氏はいかにもつれないことだし、その慰めにでもしようかと、典侍は思ったりもしたのだが、本心を言えば、やっぱり源氏一人に逢いたいということなのであった。

さてもさても、あきれはてた色好み沙汰である。

この中将と典侍の仲については、極秘のなかの極秘としてあったので、さすがの源氏も知り得なかった。そこで、典侍は、源氏を見かけると、なにはともあれ、逢えぬ恨みを言いかける。源氏はこれを聞くと、まあ年寄りのことゆえ気の毒に、とは思うけれど、といってこの婆さんを喜ばせようにも、まったくその気にはなれないというのが面倒至極で、すっかり日数が経《た》ってしまった。

夕立が降って、その名残の涼しさも残る宵の闇に紛れて、源氏が、温明殿《うんめいでん》のあたりをうろうろと歩き回っていると、この典侍が、琵琶《びわ》をたいそう見事に弾いているのが聞こえた。帝の御前の演奏などで、男の演奏者たちに混じっても、琵琶にかけてはこの人の右に出る者のないほどの腕前なので、藤壺の宮につれなくされてなにか恨めしい思いに駆られていた時分のことでもあり、源氏はしみじみとその琵琶の音を聞いた。

「瓜作りに、なりやしなまし……（瓜作りにでも、なってしまおうか……）」

と催馬楽《さいばら》を歌っている。さては、つれない男など諦《あきら》めて、求愛してくれる瓜作りの男の妻にでもなってしまおうかという歌によそえて、つれない源氏への恨みの気持ちを謡《うた》っているらしい。その文句はうんざりだが、声だけはいかにも美しく謡っているのが、ますます気に入らぬ。気に入らぬけれど、ふと白楽天《はくらくてん》の詩「夜歌ふ者を聞く、鄂州《がくしゅう》に宿《しゅく》す」を思い出して、あれは十七、八の妙齢《みょうれい》の美女が歌う歌を聞いたのだったが、まあちょうどこんなふうに聞いて哀切な思いをしたのであろうと、ついつい耳を留めて聞いてしまう。やがて、典侍は弾くのをやめて、たいそう物思いに心乱れている様子である。源氏は興を催して、

「東屋《あづまや》の　真屋《まや》のあまりの
その雨《あま》そそき　われ立ち濡れぬ　殿戸《とのど》ひらかせ
寄棟の家の軒先の、切妻の家の軒先の、雨垂れがかかって、私は立ち濡れてしまった。
どうかその戸を開いておくれ」

と戯れに催馬楽を低く吟じながら、その戸のあたりに寄っていくと、また典侍がこれに歌い合わせて、

「かすがひも　とざしもあらばこそ
その殿戸《とのど》　われ鎖《さ》さめ
おしひらいて来ませ　われや人妻
なんの鎹《かすがい》も錠《とざし》もあるものですか、その殿《との》の戸《と》は何も閉ざしてはおりませぬほどに、
どうぞ押し開いてお入りくださいな、私は他の人の妻でもあるまいに」

と応じて来たのには、源氏もさすがに、この女はそこらの人とは一味違うぞと思わずにはいられない。

やがて、典侍が歌を詠んで聞かせる。

立ち濡るる人しもあらじ東屋に
うたてもかかる雨そそきかな
そこに立って濡れるような人もおりませぬのに、
その東屋にこんなにいやな雨がますます降り注ぎます

と、なにやら恨みを込めたような歌である。源氏は、こう真面目くさって恋の恨みごと

など聞かされては閉口で、どうして自分ひとりがこんな恨み言を聞かされて責任を負わなくてはならないのだと思う。〈それにしても、いったいいつまでこんな恨みごとばかり、しつこいやつだ〉と源氏は思う。

人妻はあなわづらはし東屋の
まやのあまりも馴れじとぞ思ふ

ほかに男のいる人妻は、ああ煩《わずら》わしい、その東屋の端あたりには、
どうしても馴れることはいたしますまい

こんな歌を歌って、この好色な老女のところへはもう来るまいとは思うけれど、さりとて、このままあっさりと切れてしまうのも、どうもあまり素っ気なさすぎはしまいかと思い直して、こういうことも相手次第、相手がこんな好色の老女なんだからと、ちょっとばかり口早な戯れごとなどを言い交わしたりしつつ、〈ま、これも思えば珍しい経験だ〉と源氏は思っている。

頭中将は、源氏がいつも真面目ぶって、とかく自分をからかってみせたりするのが癪《しゃく》で

しょうがないので、実際は何食わぬ顔をしてあちこちに忍んで通う女たちがたくさんいるらしいのを、なんとかして暴露してやりたいとばかり、ずっと思っている。さる折しも、この典侍とのやり取りを発見したとき中将は、してやったりとばかり喜んだ。

こういう時に、すこし源氏を脅《おど》かして一泡吹かせ、「どうです、多少は懲《こ》りましたか」くらいのことは言ってやろうと思って、敢《あ》えてしばらく静観していた。

風が冷ややかになって、夜が少し更けてきたころ、少しウトウトとしているかな、と思われる様子であったので中将はそーっと忍び足で入ってくる。源氏は、かような老女のところではゆっくりと打ち解けて寝るという気持ちにもなれないので、まだ目覚めていた。すぐに誰かが忍び入って来る気配を源氏は察知したが、まさか頭中将とは思いもかけぬ。おそらく、あのまだ未練を残しているとか噂の修理《すり》の大夫《かみ》であろうと推量するに、彼のような年配の人に、このように不釣り合いな色事をしているところを見つけられてはまことに恥ずかしいと思ったので、

「おやおや、これは困った。私はもう帰ります。あの『蜘蛛《くも》のふるまい』はあきらかに分かっていたのに、ひどい、私を騙《だま》したのですね」

源氏は「わがせこが来べき宵なりささがにの蜘蛛のふるまひかねてしるしも（私の恋人

がきょうはやって来る宵だわ。蜘蛛の振舞いがなによりの前じらせだもの)」という古歌を引きあいにして、典侍に恨みごとを言うと、直衣《のうし》だけをさっと身に纏《まと》って屏風《びょうぶ》の後ろにかくれた。

　中将はおかしくってしかたがない。源氏の隠れた屏風のところまでそっと寄っていくと、ばたばたと畳み寄せて、ドシンドシン足を踏みならしたりして騒がせる。しかし、典侍もさるもので、なにしろもうずいぶんな年なのだが、澄ましかえってなよやかに色気づいた人がらゆえ、おそらくこんな鉢合《はちあ》わせは、前にいくらも経験しているのであろう、さっそく経験を活かしつつ、このびっくり仰天の状況のなかでも、まずは源氏をいかにして逃がすかと、情なさに震えつつ、しかし、きっちりと中将の袖をつかんで離さない。

　源氏は、この間《ま》に、誰とも知られずに逃げようと思うけれど、ともかくしどけない姿格好で、冠《かんむり》なども慌てて頭に乗せて曲がってしまっている、というような様子で走り出て行くのを後ろから見られたら、これはもう色好み男のアホらしい姿そのものだと、ぐっと心を落ち着かせようとしている。

　中将は中将で、またなんとかして、これが自分だということを源氏に知られまいと思って、ひたすらだんまりを決め込み、ただ物凄く怒っているような剣幕だけを演出しつつ、

太刀《たち》まで抜き放って今にも浮気者を成敗《せいばい》してくれようという騒ぎ。典侍は、

「ああ、あなた、ね、あなた」

と叫びながら、一心に手を合わせる。これには中将、ほとほと吹き出しそうになった。なにしろ表面はいかにも良い女ぶって若作りにしているので、なんとかかんとか見られなくもないのだが、本当の年を言えば五十七、八という老女ゆえ、もうかっこつけるどころではなくて慌てふためいている様子、それが、二十歳ばかりの美しく若い男の間で恐れおののいているというのは、まあなんとしても似つかわしくないのであった。

中将は、かくもあらぬ様子にわざと作って、いかにも恐ろしげな気配を演出しているけれど、それがかえって源氏には「見えて」しまう原因となった。

〈やや、こいつはあの中将めだ。俺と知って、わざとこういうとんでもないことをしているわけだな〉と思うと、源氏にはなんだかばからしく思えるのだった。

中将だと見定めてからは、もうちゃんちゃら可笑しいので、その抜いた太刀を持っている腕をとっつかまえて、ぎゅーっと抓《つね》った。

中将は、癪には障るけれど、なんだか可笑しくなってとうとう大笑いになった。

「しかし、それは正気の沙汰かねえ。おちおち悪ふざけもできないね、これでは。さてさ

て、じゃ、ひとつこの直衣でも着るか」

源氏は、直衣を取り上げて着ようとするのだが、中将は、その袖をつかまえて着させない。

「じゃ、ひとつ君もいっしょに、どうです」

などと言いながら、中将の帯をほどいて脱がせようとすると、中将は必死に脱がされまいと抵抗する。そうやってすったもんだと争っているうちに、引っ張り過ぎて直衣はビリビリと破れてしまった。そこで中将、

「つつむめる名やもり出《い》でむ引きかはし
かくほころぶる中の衣に

君が包み隠そうとしていた浮き名が、漏れ出てしまうだろうな、
引きあってこんなに綻《ほころ》びてしまった二人の仲……のような中の衣だな

例の『うへに取り着ばしるからむ』ってやつだな」
と洒落たことを言いかけた。「紅《くれなゐ》の濃染《こぞ》めの衣《ころも》下に着て上に取り着《き》ばしるからむかも
（紅に濃く染めた衣を下に着ていたのに、こうして上に着たら、すっかり人に知られてしまうだろう

……下心に濃厚に思っていたら、それはやがて表に顕《あら》われて人の知るところとなるだろうね)」という古歌をちらりと引いて、この浮き名は隠すことができないといい募ったわけなのであった。

源氏は当意即妙に歌を返す。

かくれなきものと知る知る夏衣
きたるを薄き心とぞ見る

なにもかも露《あら》わに見えてしまうことを承知の薄い薄い夏衣を着るように、
君の色事もすっかり透《す》けて見えてしまうことを百も承知で着た……来たとは、
まるでその衣のように薄い薄情なる心と見えるね

と、ふざけた歌など詠み交わして、まずまず今回はおあいこというわけで、すっかり気安い姿になって、揃って引き上げていった。

源氏は、邸に帰ってきてから思い返すにつけても、どうもあいつに見つけられてしまったのは残念至極だと思いながら横になっている。典侍は、この顚末《てんまつ》はまったくびっくり仰

天のことであったと呆れながら、源氏が残していった指貫《さしぬき》やら帯やら、取り集めて、翌朝返してよこした。その文に曰《いわ》く、

「うらみてもいふかひぞなきたちかさね
引きてかへりし波のなごりに

恨みごとを言ってもしかたありません。君も中将さまも重なっておいでになって、すぐに引く波のように、引き上げておしまいになった名残惜しさのなかでは

『底もあらはに』」

と。「別れてののちぞ悲しき涙川《なみだがは》底もあらはになりぬと思へば（別れての後が悲しいことでございます、この涙の川も、流れて流れてとうとう底もあらわになるほど涙を流してしまいましたから）」という古歌を引いて、一矢《いっし》報《むく》いたつもりの典侍の文を読むと、源氏は、なんという厚顔無恥な言い草だろうと憎たらしくも思うけれど、二人の男に挟まれて途方に暮れていた昨夜の様子もちょっとは気の毒に思えて、一首の歌のみを書いて文を返した。

あらだちし波に心は騒がねど

寄せけむ磯をいかがうらみぬ

荒波のような中将の乱暴にも心は騒がなかったけれど、

ああいう荒波を引き寄せた磯……のようなそなたをどうして恨みに思わずにいられるだろう

よくよく見ると、返してきた帯は、自分のではなくて中将のであった。もし自分のだったら、直衣の色と同じくもっと薄い色なのだが、この帯ははるかに色が濃い。だから身分が下の中将のものだとはっきりわかった。と見ると、直衣も袖のところが途中からちぎれてなくなっている。……女のことで惑乱していると、なるほどこういうアホらしいことがあれこれ出来《しゅったい》するのも道理、ここを以ていよいよ身を修《おさ》めなくてはと思い立ったりする源氏であった。

そこへ中将が、宮中の宿直所《とのいどころ》から、「これをまず綴《と》じておかれてはいかがですか」といって、ちぎれた袖を包んでよこした。〈この袖、いったいどうやって奴は取ったのであろう〉と不愉快な心持ちになった。そこで源氏はさっそく戦利品の交換というわけで、中将の帯を返してやることにした。〈やれやれ、この帯がなかったら、あやつに一本取られたきりになるところだった〉と源氏は思いながら、その帯と同じ色の紙に包んで返してやる。

なか絶《た》えば託言《かこと》や負《お》ふとあやふさに

はなだの帯は取りてだに見ず

もしこの帯が半ばで切れたら……もしあの女との仲が切れたら、さぞ私のせいだと文句を言われることだろう、とそう思うと恐ろしくてとても触ることすら出来ませぬ、この帯には

と、源氏はこんな歌を書き、帯に付けて中将を皮肉ってやった。すると、たちまち返事が来る。

「君にかく引き取られぬる帯なれば

かくて絶えぬるなかと託《かこ》たむ

いやさ、君にこうして引きむしり取られた帯だものな、そのせいで千切《ちぎ》れてしまった……あの女との仲も切れてしまった、とせいぜい文句でも言わせてもらおうか

何を言っても責任は逃れられませぬぞ」

中将は、そう言ってきた。

日が高くなってから、二人とも参内する。源氏は静かに、なにも知らぬような様子を作っているのが、中将にも可笑しくてならなかったが、その日はたまたま公式の仕事があれこれと多く、蔵人所《くろうどどころ》の長官である頭中将は、仕事がら、帝に上奏《じようそう》する文案、また下し置かれる勅語などの輻輳《ふくそう》する日であったので、色恋沙汰どころではなく、中将も大まじめで精《せい》励恪勤《れいかつきん》という様子であった。しかし折々互いに見交しては、ついニヤニヤとしてしまう。あたりに人がいなくなった折を見澄まして、中将は源氏に近寄ってくると、

「どうです、ここそと隠し立てをしてのお悪戯《いたずら》は懲り懲りというところではありませんか」

と、えらく得意らしい横目遣いでちらりと見る。

「なんの、どうしてそんなことがあるもんか。そういう、立ったまま女のところから帰っていった人こそ、お気の毒にな。正味のところ、はは、『憂《う》しや世の中……男女の仲は辛いもの』ってところよな」

源氏は「人言《ひとこと》は海士《あま》の刈藻《かるも》に繁《しげ》くとも思はましかばよしや世の中（人の噂は、あの海士の

刈る藻が繋っているように、うるさいけれど、私たちが互いに思いあってさえいれば、それで二人の仲はよしとしようじゃありませんか）」という古歌をもじって、人の口に戸は立てられぬもの、男と女の仲というものは辛いものですなあ、とふざけたのであった。

こんなふうにして、源氏と中将は面白おかしく語らった揚《あ》げ句《く》、

「だからね、『犬上《いぬかみ》の鳥籠《とこ》の山なるいさや川いさと答へよわが名もらすな（あの近江《おうみ》の国犬上の郡の鳥籠の山にあるいさや川よ、もし人にわが名を聞かれたら、いさ知らぬなあと答えるのだよ、決してわが名を漏らしてはならぬよ）』ってやつさ、ふふふ」

と互いに口止めをしあったことであった。

さてその後は、この話を中将がなにかというと持ち出してきて、どうにもうるさくてならぬ。こういう面倒なことになったのも、すべてはあの典侍という婆さんのどうしようもない行状のせいだと、さすがの源氏も、さぞ思い知ったことであろう。けれども、その典侍のほうは、なおも色気がかった恨みごとなどを言ってよこすので、源氏は、参ったなあと思いながら逃げ回っている。

中将は、この源氏の弱みについては、妹の葵上には決して話さず、ただただ、自分のこ

こそという時の「切り札」として持っていようと思うのであった。

源氏に対しては、しかるべき高貴の出自の妃がたの産んだ親王《みこ》たちさえ、帝の特別の盲愛ぶりを憚《はばか》って、なにかと腫《は》れ物に触るようにしているというのに、この中将ばかりは、源氏にだって、おさおさ劣るまい負けまいとして、下らないことについてまで、いちいちに対抗意識を燃やしている。

この中将一人だけが、左大臣の数多い息子たちのなかで、葵上と同じ腹の兄弟、つまりは桐壺帝の妹君の子供なのであった。

〈……源氏と自分との違いは、ただ源氏は帝の子だというだけで、大した違いはない。なにしろ自分の父は大臣のなかでもとくに帝のご信任あつい左大臣だし、その左大臣の父が皇妹の母との間に儲けて、並び無く大切に育て上げたという息子が私なんだから、その私が源氏に何ほど劣っている身分だと思わなくちゃならないんだ……〉と頭中将は心中密《ひそ》かに思っている。事実、源氏との比較を外して考えるなら、この中将は人がらも悪くなかったし、あれもこれもと才覚が揃っていて、どんなことも申し分のない身の上、これといって不足のない貴公子ではあった。そこで、この二人の間の、さまざまな意地の張り合いは、まことに理解のほかなるありようであったけれど、それをいちいち書いていては、まことに煩わしいゆえ、これくらいにしておこう。

七月、藤壺の立后。同時に源氏は参議に昇進す

七月《ふみづき》に、立后《りっこう》の儀があって、藤壺は正式の后になられたようであった。このとき、源氏は宰相《さいしょう》……参議の位に昇任した。帝はそろそろご譲位をお考えになって、この藤壺腹の若宮を東宮にというおつもりなのであろうが、いかんせん後見《うしろみ》をするべき人がいない。なにぶん藤壺は先帝の内親王であった関係で、親族はみな皇族であるから、政治向きに関与すべきでない。そこで、まずは若宮の母君である藤壺をきちんと后に立てて、不動の位置に置き、それを力頼みにしようという帝のご内意であった。

こうなっては、現東宮の母、弘徽殿女御は、ますます心穏やかでない。それも、まず道理というものであった。しかしながら、帝は、

「東宮が皇位を継承するのも、間もなくゆえ、その母たるそなたが皇太后の位に上るのもまず疑いあるまい。されば、安心しておれよ」

とこう諭《さと》されるのであった。

なるほど、現東宮の母として二十年あまりにもなる弘徽殿女御を差し置いて、その頭越しには他の方を后にも成されがたいところであろうにと、例によって、この藤壺立后については、世間のやかましい取り沙汰となった。

藤壺が后として参内する夜の行列のお供に、源氏も随従する。同じく后という方々のなかにも、この先帝の后腹の内親王として生まれ育った藤壺の宮は、宝玉が光り輝くにも似て素晴らしく、その上さらに、帝のご寵愛がまた並び無いということも添うて、人々もまた格別の思いをもって奉仕しているのであった。

まして、源氏の割り切れない心には、その行列の御輿《みこし》の中の御方が切なく思いやられて、立后してはますます自分の手の及ばない高みにいってしまうと思うと、おろおろせずにはいられない。

尽きもせぬ心の闇にくるるかな
雲居《くもゐ》に人を見るにつけても

消え尽きることのない、私の心の闇。その闇にくれ惑《まど》うている……
あの御方を雲の上の月のように見上げるにつけても

と、こんな悲しい歌が、ふと口を衝《つ》いて出て来て、胸のうちはなんともいえない思いに満たされる。

若宮は、成長していく月日につれて、それはもう源氏と見分けがたいほどそっくりになっていく。藤壺はそれをひどく苦しいことに思うのであったが、そのことに気付く人も、幸いに、なかったらしい。

考えてみれば、源氏は、これ以上は考えられぬという美しい男である。さればその子である若宮は、いかに作り替えても、別の美しさというわけにはいかない。かくて、源氏と若宮については、まるで月と太陽が一つ空に輝いているようだ、と世の人々は思うのであった。

花宴《はなのえん》

源氏二十歳

南殿の花の宴、催さる

二月《きさらぎ》の二十日《はつか》過ぎのこと、宮中紫宸殿《ししいでん》の南面《みなみおもて》なる左近《さこん》の桜の花を愛《め》でる宴《うたげ》が催《もよお》された。中宮藤壺《ちゆうぐうふじつぼ》の后《きさき》と東宮《とうぐう》の御座所《おましどころ》を、玉座のそれぞれ右と左に設《もう》けて、いずれも着座する。東宮の母弘徽殿女御《こきでんのにようご》は、かつては同列であった藤壺が今では中宮となってこのように自分より上席に着座するようになったことが、なにかにつけて面白くない。しかし、こんな花見の折ともなれば、じっとしていることもできなくて参上してきた。

その日は、よく晴れた好日となり、うらうらとした空の色も、囀《さえず》る鳥々の声も、いかにも心地よげで、親王がた、上達部《かんだちめ》以下、文雅《ぶんが》の道にたけた人たちは、みな、探韻《たんいん》の趣向で、御前《おまえ》にて韻字《いんじ》を賜《たまわ》って、漢詩を案じている。

いまは宰相《さいしよう》の中将《ちゆうじよう》となった源氏は、庭中《ていちゆう》に設置された文台《ぶんだい》の上の鉢《はち》のなかから韻字を書いた紙を探り出すと、一瞥《いちべつ》して、

「春、という字を韻字に頂戴《ちようだい》いたしました」

と声を上げた。その声も、いつも言うことながら、まことに朗々《ろうろう》として比類のない美声

である。

次に頭中将《とうのちゅうじょう》が韻字を探る。源氏の次に進み出た自分を人々がどう見比べるだろうかと、そんなことばかりまた気になってしかたのない中将だったが、さすがに見苦しいところを見せずにおっとりと落ち着き、韻字を読み上げる声遣《こわづか》いなども、重々しく優れている。

それからその後に続く人々は、皆、この二人に気圧《けお》されておろおろときまり悪げに進み出《い》でる。まして、昇殿を許されぬ身分の文人たちは、かかる晴れの場、しかも帝も東宮も才《さい》学優長《がくゆうちょう》の聞こえ高く、源氏を始めとしてこの方面に並々ならぬ力量を持った人々がたくさん居並んでいるところであってみれば、なにやら気が臆して、はるばると広い、白砂の晴れがましい庭を進むほどに、どうにもきまり悪く、ただ韻字を探りに出るというだけのなんでもないことなのだが、それさえ苦しそうに見える。

年老いた文章博士《もんじょうはかせ》どもともなると、その風采《ふうさい》はいかにもぱっとせず貧相なくせに、こういうことにはすっかり場慣れしていて堂々と振舞っているのも、また面白い。帝は、この人々がさまざまの態度で振舞うのを、興味深くご覧になっている。

もちろん舞楽《ぶがく》なども、おさおさ怠りなく準備が調《ととの》っている。

次第に日が西に傾いてくるころ、『春鶯囀《しゅんのうでん》』という舞を楽人《がくにん》が舞うのを見ると、源氏が紅葉賀《もみじのが》の折に舞った『青海波《せいがいは》』が思い出されて、やはり源氏に舞ってほしいと東宮は思う。それで、折柄の桜の枝を折って源氏に賜り、しきりと舞を所望するのであった。源氏もさすがに否《いな》みがたく、やがて立って、のどかに、袖《そで》を翻《ひるがえ》す所作《しょさ》をひとさし、ほんのおしるしばかり舞うと、それすら、比類のない素晴らしさに見える。

これには左大臣《さだいじん》も、日頃の恨《うら》めしさを忘れて、感激し涙を落とす。

「頭中将もどうか。早く舞ってみせよ」

と帝のご所望に従って、次に中将が『柳花苑《りゅうかえん》』という舞を、これは源氏よりすこし念入りに舞った。中将は、かかることもあるかもしれぬと思って、前もって用意していたらしく、それもまたたいそう興深い舞であったので、褒美《ほうび》に帝から御衣《おんぞ》を賜る。かかる折に帝御《おん》自らご褒美を賜るとは珍しい、と人々は思った。

上達部の者たちも、皆順序も定めず次々と舞ったが、夜に入る頃には、さて上手《うま》いのだか下手《へた》なのだか、けじめもつかぬありさまとなった。

でき上がった漢詩を、講師《こうじ》が読み上げるについても、源氏の君の作品はあまりにも素晴らしいので、講師が一句読み上げるごとに満場やんやの喝采《かっさい》なりやまず、なかなか先へも進めない。それを聞く博士たちの心にも、源氏の才学のすばらしさが身にしみて感じられる。

こういう催しの折でも、まずはこの源氏を一座の栄光に思うゆえに、帝も、なんとして源氏をおろそかにお思いになることができようか。

藤壺は、どうしても源氏に目が留まってしまうにつけても、その度《たび》に、あの東宮の母弘徽殿女御が、なにかと源氏を憎むらしいのも理解できないが、といって自分がこんなふうに心惹《ひ》かれているということもまた心憂《う》きことと、みずから思い返しもする。

おほかたに花の姿を見ましかば
つゆも心のおかれましやは

まったく一通りのこととして、この花の盛りのような姿を見たなら、つゆほども気がねなどせずにいられたものを……

藤壺は、こんな歌を心中ひそかに詠んだことだったが、それがどうやって漏れ聞こえたのであろうか、さて。

夜がたいそう更《ふ》けわたったころ、花の宴はやっと終わった。

その夜、弘徽殿の細殿で源氏、朧月夜の君に密会

上達部は三々五々退出し、中宮も東宮も帰って、あたりがやっと静謐《せいひつ》に戻ったころ、月が皓々《こうこう》とさし昇って美しい月夜となったのを、源氏は、ものに酔ったような心地のうちに、そのまま何もせずには立ち去りがたく思った。清涼殿《せいりょうでん》の宿直《とのい》の人たちも寝静まっている。もしやこんな思いもかけない折に、都合のよい隙《すき》もあるかもしれないと思って、藤壺（飛香舎）のあたりを、源氏は、重々人目を忍《しの》んで窺《うかが》って回るけれど、王命婦《おうみょうぶ》のいるあたりの戸口もしっかり戸鎖《とざ》してあってどうにもならない。源氏は、ほうとため息をついて、それでもなおまだ諦《あきら》めがつかず、弘徽殿の西廂《にしびさし》あたりに立ちよって見れば、三番目の戸口がふと開《ひら》いた。

主《あるじ》の弘徽殿女御はここには下がってきていず、上の局《つぼね》のほうに行っているので、このあたりは人気《ひとけ》が少ない。そのまま進んでいくと、奥の開《ひら》き戸も開《あ》いた。あたりに人の物音もしない。

〈やれやれ、こんなときに、とかく男と女は間違いをしでかすものだが……〉などと思い

ながら、源氏はそのまま細殿《ほそどの》に昇って中を覗《のぞ》き込んだ。

女房たちはみな寝てしまったらしい。

そういうなかに、たいそう若々しく麗《うるわ》しい声が聞こえてくる。どうやら、そうとうの身分の姫らしい。

照りもせず曇りもはてぬ春の夜の
朧月夜《おぼろづきよ》に似るものぞなき

皓々と隈《くま》無く照るのでもなく、曇ってまったく見えぬでもない、ただ夢のようにほんのりと見えている春の夜の朧月夜ほどすてきなものはない

と、よく知られた歌を低くうち誦《ずん》じながら、どうやらこちらのほうへやって来る気配である。

この歌のゆえに、この女は朧月夜の君と呼ぶことにする。

源氏は嬉《うれ》しくなって、ふっとその女の袖を捉《とら》えた。

女は恐ろしいと思っている様子で、声を上げる。

「あっ、いやっ、誰なの」

しかし源氏はひるまない。

「どうして、いやがることがありましょう」

と言いながら、歌を詠じた。

　深き夜のあはれを知るも入る月の
　おぼろけならぬ契《ちぎ》りとぞ思ふ

　あなたが深夜の情趣をご存じなのも、西に入る月が朧（おぼろ）けならず光っている、その光ではないが、こうしてここに入る私との間に、朧けならぬ因縁があったからだとわたくしは思いますぞ

　こんな歌をうそぶきながら、源氏は、朧月夜の君をそろりと細殿のうちへ抱き下ろして、開き戸にさっと錠を鎖《さ》してしまった。

　びっくりするようなことの成り行きに、朧月夜は呆然《ぼうぜん》としている。その様子もまたなかなか魅力的で色気が感じられる。あまりの怖さに、震えおののきながら、

「こ、ここに、人が！」

と叫ぶけれど、その口を塞《ふさ》ぐように源氏はかきくどいた。

「わたくしは、こういうことをしても皆許してくれることになっています。だからね、そうやって人を呼んでみたところで、どうにもなりませんよ。このまま、そっと静かにしていなさいね」

この声に、朧月夜は、さては源氏の君であったと聞き定めて、すこし心の慰《なぐさ》む思いがした。それでも、こんなことをされるのはいくらなんでもご無体《むたい》な、とは思うのだが、といって無下《むげ》に拒絶などして、まるっきり恋の情《なさけ》も弁《わきま》えぬ強情《ごうじよう》女と見られたくはないと思いもする。

女の心は、ふとゆるんでいった。

こうして遂に契りをとげた女を抱きしめながら、源氏は、酔い心地がただならぬほどだったのであろうか、手を放してしまうことはなんとしても残念だと思う。見れば女も、まだ若々しくたおやかな風情《ふぜい》で、強く拒絶する心もないらしいように見える。

……源氏は、〈かわいい女だな……〉、と思うけれど、折悪《あ》しく夜が明けてきた。かくては、もうここから帰らなくてはならぬ。この女にまた逢いたい。逢いたいから名も知りたいが、何度聞いても女は名乗ろうとはしなかった。このままでは時間切れになってしまうと、源氏は気が気でない。女は、まして人に見られでもしたらと思って、心が千々《ちぢ》に乱れている様子である。

「どうか、ぜひぜひ名のりをなさいませ。お名を知らなくては、どうやってお手紙を差し上げることができましょう。まさか、これっきりにしたいとは、よもやお思いではございますまい」

源氏がかきくどくと、女は歌を詠んで返した。

うき身世にやがて消えなば尋《たづ》ねても
草の原をば問はじとや思ふ

こんなに辛《つら》い身の上の私が、このまま露《つゆ》のように消えてしまったら、あなたは、名が分からないからといって、その草の原をわけても尋ね当てようとは思ってくださらないのですか
かく歌を詠む風情がまた、いかにも艶麗《えんれい》で女らしい魅力を放っている。
「おっとこれは道理、私の言いようがわるかった」
そう言うと源氏は改めて一首の歌を詠じる。

「いづれぞと露のやどりを分かむまに
　小笹《こざさ》が原に風もこそ吹け
　その草の露のように儚《はかな》いあなたのお宿はどこであろうと尋ねているうちに、
　ざわざわと吹く小笹の原の風が葉末《はずえ》の露を吹き落としてしまうように、
　人の噂がざわざわして二人の仲が絶《た》えてしまわぬかと、案じてのことでした
わたくしがお訪ねすることが煩《わずら》わしいとお思いでないのなら、どうしてお名を隠されるのですか。もしや、はぐらかしてやろうというおつもりでしょうか」

などとあれこれ言いあっているうちに、女房たちが起き出してくる気配がする。あの恐ろしい弘徽殿女御が宿っている上の局との間にも人の行き来が騒がしくなってきたのは、まもなく女御がこちらへ下がってくるということらしい。

源氏は、もう一刻も猶予がならぬと思って、持っていた扇《おうぎ》を此度《このたび》の逢瀬《おうせ》の証拠に交換して、急ぎ出ていった。

源氏の宿所《しゆくしよ》の桐壺では、女房たちがたくさん控えていて、もう目覚めている者もあったが、

「それにしても、源氏の君も、さてもさてもご熱心なお忍び歩きですことねえ」

などと、目引き袖引き、源氏の朝帰りを諷《ふう》して突っつきあいながら、たぬき寝入りをしたりしている。

源氏は寝所《しんじょ》に入って横になったが、眠れない。

〈……さても、あれは、なかなか良い女だったな、おそらくは弘徽殿女御の妹君の一人なんだろうけれど、あんなにウブらしいところを見ると、五《ご》の君《きみ》か六《ろく》の君、おそらくそんなところであろうかな。……それにしても、あの大宰《だざい》の帥《そち》の宮《みや》の北《きた》の方《かた》になってる妹君や、あるいは頭中将があまり大切にしていないという四《し》の君、いずれも大層な美人だと聞いたから、却《かえ》ってその辺りの君たちだったら、もう少し面白かったかもしれない。……なんでも六の君は東宮にさし上げようというのでなにかと画策しているという話だから、もしその六の君だったら、お気の毒なることになってしまうわけだ、……いずれにしても相手は弘徽殿の係累だからことが面倒だし、調べてみてもどこまではっきりするとも分からぬし……。しかし、あれっきりで終わりにしようとは思っていないような感じだったが、どうしてまた、文《ふみ》を通わせる道筋を頑《がん》として教えようとしなかったのであろうな……〉などと、とつおいつ思い巡らしているのは、結局、源氏は、この女君にただならず心惹かれているのであろう。
かれこれこんなことにつけても、まずは、あの藤壺のあたりの様子は格別にまた奥深く慎み深くてとても近寄りがたいから、こんなになにもかも様子が違うというのも珍しいことだと、源氏はついつい二つの局を引き比べなどしている。

その日は、後《のち》の宴《えん》のことがあって、源氏もなにかと忙しく暮らした。その後の宴では、源氏は箏《そう》の琴《こと》を演奏した。昨日は上下貴賤《きせん》さし集《つど》えての正儀ゆえ、なにかと格式ばったところもあったけれど、後宴《ごえん》は、うちうちの貴公子方のみの集まりゆえ、また飾り気もなくて面白いことが多かった。

藤壺は暁《あかつき》に上の局に帰っていく。源氏は、その時分に、もしやあの朧月夜の君が姿を見せはしないかと、心も上の空になって、色事《いろごと》方面には万端《ばんたん》抜かりのない良清《よしきよ》と惟光《これみつ》を見張りにつけて様子を窺《うかが》わせていると、源氏が帝の御前《おまえ》から退出してきたところに、こう報告が至った。

「ただいま、北の陣から、前もって物陰に停《と》めてございました車が何台も退出してまいりました。女御《にょうご》、更衣《こうい》などの方々のお里の人々が侍《はべ》っておりましたなかに、四位《しい》の少将《しょうしょう》、右中弁《ちゅうべん》など、弘徽殿の弟君がたも急ぎ出て送ってまいりましたから、あれが弘徽殿ご一族の車であったろうと見ましてございます。いかにもそれらしい佇《たたず》まいの車の様子がはっきりしておりましたのが、三台ばかりございました」

と、こんなことを報告するのを聞いて、源氏ははっと胸衝かれる思いがした。

〈……なんと、そんなに何台も車がいたのでは、どの車にあの君が乗っていたか見分けが付くものでない。といってあまり大騒ぎをして、父右大臣《うだいじん》などに聞きつけられては、やれ婿《むこ》にするの何のと、大げさなことになって面倒だ。だいいち、あの君の身の回りの状況をよく見定めぬうちに動いて、万一にもおおごとになっては煩わしい。……といって、あの君が誰だったかを突き止めずにおくのもまたどうしたって悔《くや》しいぞ、さて、どうしたものであろうかなあ……〉と源氏は思案投げ首の体《てい》で、ぼんやりと物思いに耽《ふけ》りつつ横になっている。

〈それにしても、紫《むらさき》の君《きみ》が、どんなにかさびしがっているだろう。もう何日も逢わずにいたから、きっと鬱《ふさ》ぎこんでいるにちがいない〉と源氏は、紫の君のことをなんとかしてやらなくてはな、と思いやる。

あの朝、朧月夜と取り交わした扇を見てみると、桜色の三重《みえ》がさねの扇で、その濃《こ》く彩《いろど》った面には、霞《かす》んでいる月を描き、それが水に映《うつ》っている絵柄なのは、さまで珍しいものではないけれど、あの朧月夜の君が持ち馴《な》れていたことがなつかしく偲《しの》ばれる。それにしても、あの君が「うき身世にやがて消えなば尋ねても草の原をば問はじとや思ふ」と詠んでよこしたことばかりが気にかかってしかたがない。

世に知らぬここちこそすれ有明《ありあけ》の
月のゆくへを空にまがへて

男女の仲について、こんな気持ちはいまだ味わったことがなかった。有明の月が、その行方《ゆくえ》を見せもせず、いつしか明けた空に消えていってしまった、そのように見失ってしまったあの人の行方……

源氏は、こんな歌をその扇に書きつけて脇に置いた。

〈左大臣のところへも、もうずいぶん久しく行かないな〉と源氏は思うのだが、しかし、それよりも紫の君のことのほうがよほど気になるので、なんとかしてこの君を慰めようと思って源氏は二条の邸《やしき》へ帰った。

見れば見るほど、紫の君は、たいそう美しく成長して、愛嬌《あいきよう》も具《そな》わり、その上にいかにも聡明《そうめい》な心ばえもまことに際立っている。こういうところを見ると、何ら不満足なところなく、自分の心のままに教育して立派な妻に仕立てようと思っている源氏の意図に、この君は、いかにも適《かな》っているように思われる。とはいえ、男が教育するということであるから、すこし男馴れしてしまうのではないかと、そこが少々案じられる。

ともあれ、源氏は、ここ数日のことをあれこれと物語ったり、あるいはお琴を教えたりして、その夕方に出かけて行くのを、紫の君は、〈またいつものお出かけなのね〉と口惜《くちお》しく思うのだが、それも今はもう源氏の手でよくよく教育されているため、もはや以前のようにむやみと纏《まと》わりついたりはしない。

源氏、左大臣邸に行くが、葵上は冷やかに対応す

左大臣邸に行ってみると、葵上《あおいのうえ》は、いつものごとく、すぐには対面しようともしない。源氏は、なすこともなく退屈しながら、あれこれと考えを巡らし、ふと箏の琴をまさぐりつつ、

「貫河《ぬきがは》の瀬々《せぜ》の小菅《こすげ》の　やはら手枕《たまくら》　やはらかに寝《ぬ》る夜《よ》はなくて　親離《おやさ》くる夫《つま》……（貫河の瀬々の小菅ではないけれど、そのように柔らかな手枕に、やわらかく寝る夜とてもなくて、親が邪魔立てして逢わせてくれない、あの夫に）」

という催馬楽《さいばら》を、聞こえよがしに朗詠などしている。

ちょうどそこへ左大臣がやってきて、先日の花の宴の面白かったことなどを、あれこれと話し込んだ。「親離くる……」どころか、この左大臣は、源氏と葵上を逢わせたくて仕方ない親なのであった。

「わたくしも、もうずいぶんな歳になり、今までに英明《えいめい》の帝、四代にお仕えしてまいりましたが、いやあ、この度の花の宴のように、詩文秀逸、舞《まい》も楽《がく》も間然《かんぜん》するところなく調《ととの》って、寿命の延びる思いをしたことはございませんでしたなあ。これというのも、ただいまは、各方面名人上手という人々も多い時世ながら、それらをなにからなにまでご存じのうえで不足なく調えさせなすった源氏の君のお手柄でしょうなあ。この爺《じじ》いも、すんでのところで舞い出ていきたくなりましたことで……」

左大臣はしきりと源氏をほめそやした。

「いやいや、私が特になにか指図がましいことをしたということもございません。ただ、お役目柄にて、いわば隠れた逸材《いつざい》というような者どもを、ここかしこに探し出したというばかりのことでございます。……いや、そんなことよりも、あの中将どのの舞われた『柳花苑』の舞、まことにお見事で、あれこそは後々までのお手本にもなるべきものと拝見いたしましたが、まして、左大臣さま自ら『さかゆく春』の故事のごとくに舞い出でられたなら、それこそは一世一代の面目《めんぼく》でございましたろうなあ」

源氏は、昔尾張連浜主《おわりのむらじはまぬし》が百十三歳の砌《みぎり》、御前《ごぜん》にて『長寿楽《ちょうじゅらく》』を舞っての面目に「翁《おきな》とてわびやはをらむ草も木も栄《さか》ゆる時に出でて舞ひてむ（爺《じじ》いだからとてしょぼくれてばかりおられようか。この草も木も栄え出る聖代《せいだい》の春に、さあ私も出ていって舞を舞うことにいたしましょうぞ）」と詠んだという故事によそえて、左大臣を喜ばせる。

そこへ、左中弁、頭中将ら、左大臣の息子たちもやってきて、簀子《すのこ》の勾欄《こうらん》に背を凭《もた》れさせつつ、とりどりの楽器の音を調え、合奏をして遊ぶ。その楽はまことに興趣つきぬものがある。

源氏、右大臣家の藤の花見の宴にて、朧月夜を見出す

さて、かの有明の君、朧月夜は、儚《はかな》い夢のようであったあの源氏との逢瀬を思い出して、つくづくとため息などつきながら物思いに耽っている。

父右大臣は、もうこの四月《うづき》には、自分を東宮の許《もと》に入内《じゅだい》させるということを決めてしまっているので、源氏との恋を堪《た》え難く苦しいことに思い乱れていた。源氏は源氏で、この君を探し当てるのに何の手がかりもないというわけでもないのだが、右大臣の何人かの姫君のうちのどの方とも判別できぬままに、あの一族にかかわり合うなどは、なにぶん、もともと弘徽殿女御はじめ自分を絶対に許さぬ人たちゆえ、いずれ体裁の悪いことが出来《しゅったい》しはせぬかと思い煩っていた。

三月二十日《やよいはつか》を過ぎたころ、右大臣家の弓の競技会に、上達部や親王がたをとりどりに集《つど》えて、そのあとすぐに藤の花見の宴が催された。桜の花盛りはもう過ぎてしまったが、

「見る人もなき山里の桜花ほかの散りなむ後《のち》ぞ咲かまし（咲いたとて誰も賞嘆する人のない山

里の桜花よ、ほかの桜がすっかり散ってしまってから後に、咲けばよかったものを）」という古歌の心を誰かに教えられたのでもあったろうか、その庭に遅れて咲いている桜が二本あるのがいかにもおもしろい。新しく造営した御殿を、弘徽殿女御腹の内親王がたの御裳着《おんもぎ》の祝いの日のために、立派に磨き飾り立ててある。もともとが派手好みの家風だから、なにごとも今風のはなやかな作りにしつらえてある。右大臣は、この祝いに源氏も参席してほしいものと思い、ある日内裏《だいり》で対面の折に誘ってみたけれど、やはり源氏は来ない。そのことが右大臣には口惜しく、せっかくの祝いが催し栄《ば》えせぬことと思って、息子の四位《しい》の少将《しょう》を迎えに差し向けた。

わが宿の花しなべての色ならば
何かはさらに君を待たまし

私の家の花がそこらの花と同じでございましたならば、
何としてあなた様をお待ちいたしましょうか。色ことなる花ゆえ、ぜひともお運びをねがいます

と、右大臣は、こんな歌を詠んでよこしたのである。

源氏は宮中にいたが、この歌をただちに父帝のお目に掛ける。

「これはまた、したり顔な歌だね」

帝はそういってお笑いになる。

「そうやってわざわざ迎えまでよこしていることだから、はやく行くがよいぞ。内親王たちも育っている邸だ。いずれもお前にとっては異母妹に当たるのだし、そうそう通り一遍の人とも思ってはいないだろうからね」

などとお言葉がある。

源氏は、念入りに装束《しょうぞく》など整えてから、とっぷりと日が暮れて後、「待ちに待っていた」ところへ出向いていった。

その出で立ちは、桜襲《さくらがさね》……裏は紫色に表は白絹を重ねた唐風《からふう》の薄絹の直衣《のうし》、葡萄《えび》茶《ちゃ》色の下襲《したがさね》の衣の裾《しり》をぞろりと長く引いている。他の人たちはみな正装用の袍《うえのきぬ》を着ているというのに、源氏ひとりはぐっとくだけた皇子風の飾らぬ出で立ちで、お付きの者共にかしずかれながらしずしずと入ってくる様子は、まことに他の人とは格段に違っている。これには、さすがの花の色香も気圧《けお》されて、かえって興ざめなほどに見えたくらいであった。

管弦の遊びなど、あれこれ興趣深く過ごして、夜もだんだんと更けてゆくころ、源氏は、たいそう酒に酔ったようなふうに見せかけて、ことの紛《まぎ》れに席を立った。

寝殿には、弘徽殿女御腹の女一《おんないち》の宮、女三《おんなさん》の宮がいる、その東の戸口のところで、源氏は、ものに寄りかかっている。藤の花は、この寝殿の東側の端あたりに咲いているので、格子戸《こうしど》はみな引き上げて、御簾《みす》際近く女房たちが出ている。その袖口などを、まるで宮中正月の踏歌《とうか》の節会《せちえ》でもあるまいに、わざとらしく出して見せているなどは、たかが右大臣邸の私宴には相応《ふさわ》しくない、と源氏は面白からず眺《なが》めていた。それにつけても、まず源氏の脳裏に彷彿《ほうふつ》するのは藤壺のあたりのことである。

「すっかり酒に酔って気分が悪くなりましたのに、またひどく酒を勧められて、困り果てております。まことに恐れ入りますが、この内親王の御前《おまえ》あたりに、お匿《かくま》い下さいませ」

源氏はそんなことを言い言い、開き戸の御簾《みす》の下から上半身を差し入れた。

「あれ、さようなことを。困ります。下郎《げろう》どもが上の人の庇護《ひご》を頼むのはともかくとして、あなた様ほどの方が、かようなところへ……」

と言う様子を見てみると、重々しくはないけれど、しかしそこらの若い女房という風でもない。いかにも貴《あて》やかで風情たっぷりの気配が明らかにわかる。部屋に焚《た》く薫物《たきもの》が、煙たいほどに香らせてあり、衣擦《きぬず》れの音もことさらに華やかに立てて振舞っている。どちらかというと、心憎い奥ゆかしさなどはなくて、もっぱら今風の派手好みなことばかりを良しとしている邸で、貴《たっと》き内親王がたも花を見物するために、この戸口あたりに座を占めているのであろう。

しめたっ、と源氏は思う。〈……今を措《お》いて、あの朧月夜の君の正体を確かめる時はあるまい〉、そう思うと、そこまでするのはいかになんでもやりすぎのように思われるけれど、それでも心を動かさずにいられない。〈さて、いったいあの君はどのお方であろうか〉と胸が騒ぎ、

「扇を取られて、からきめを見る（扇を取られて、辛《つら》いめにあったことです）」

と、わざとのどかな声で、源氏は、催馬楽「石川《いしかは》の高麗人《こまうど》に　帯を取られて　からき悔《くい》する（石川の高麗の人に帯を取られて悔しい思いをする）」を替え歌にして歌ってみた。そう歌いながら、源氏は、母屋《もや》の端のあたりに寄りかかって座っている。すると、御簾のなかから、

「なにやらおかしげな、風変わりの高麗人ですこと」

と答える声がある。これは、源氏と朧月夜との一件を知らぬ女房なのであろう。

その傍《かたわ》らに、なにも答えず、ただ時々ため息だけをついている気配のする人がある。

〈これだ……〉源氏は、すぐさまその人のいる辺りに寄りかかって、几帳《きちよう》越しに手を取る

と、

「あづさ弓いるさの山にまどふかな
ほの見し月のかげや見ゆると

梓弓《あずさゆみ》を射るでもありませぬが、月の入る入佐山（いるさやま）のあたりに暮れ惑《まど》うております、
もしやあの、ほのかに見た月影が、この山の陰あたりに見えるかもしれないと思うて

この惑いは何故《なにゆえ》なのでございましょうか」

源氏は当て推量で、この人に言いかけたのだが、さすがに朧月夜のほうもこらえ難かったのであろう、

心いるかたならませばゆみはりの
月なき空にまよはましやは

もしお心を深く入れなさっておいでだったら、あの弓張《ゆみはり》の月もなき暗闇《くらやみ》の空にだって、
迷ってしまうなんてことがございますでしょうか。
どんなに暗闇の道だってお通いになるでしょうに……それが惑うておいでなのは、
お心入れの浅い故ではございませんか

と言う声が、まさに、あの朧月夜その人であった。
ああ、嬉しい……とはいうものの……。

葵《あおい》

源氏二十二歳から二十三歳の正月まで

桐壺帝譲位後の世の中

すでに桐壺帝《きりつぼてい》は、かつての東宮《とうぐう》、朱雀《すざく》帝に位を譲られ、源氏は二十二歳、近衛《このえ》の大将《たいしょう》に昇進している。

この御代替《みよがわ》りがあって以来は、宮中の実権は朱雀帝の母弘徽殿女御《こきでんのにょうご》……今は弘徽殿大后《おおきさき》と呼ばれるようになっている……と、その父右大臣《うだいじん》の手に握られている。なにかと右大臣家の壟断《ろうだん》するところとなった世の中が、源氏には面白くない。なにもかもおっくうだ。それに、今では大将という重々しい身分になったことでもあるから、以前のような軽々しい忍び歩きも慎《つつ》しまなくてはと思うゆえ、こちらの人もあちらの人も、源氏に逢《あ》えない嘆《なげ》きを重ねている。

だから……古歌に「我を思ふ人を思はぬ報《むく》いにやわが思ふ人の我を思はぬ（私を思ってくれる人を思わないことの罰が当たったのだろうか、私の思っている人は私を思ってくれぬ）」というとおりの報いがきたのだろうか、「あの方」は私を思ってはくださらぬ、といまなお冷淡な藤壺《ふじつぼ》の心を、源氏は果てしなく思い嘆いて暮らしていた。

しかし、帝《みかど》が位を降《お》りて上皇《じょうこう》の御所《ごしょ》に移られた後は、藤壺の后《きさき》を年がら年中まるで普通の夫婦のように側《そば》に置いて放されないので、弘徽殿大后はやはり心中愉快ならず、敢《あ》えて桐壺院から離れて息子の新帝と共に宮中にばかりいる。そのため今では桐壺院の側には誰も対抗する人がいなくなって、藤壺の心中は安らかのようであった。

院は、折々につけて管弦の御遊《おおんあそ》びなどを、あれこれ趣向を尽くし、世の語りぐさになるほど盛大に催《もよお》されるので、退位後の今のほうがご在位中よりもお幸せそうであった。ただ、今は手元を離れて宮中にいる東宮ばかりは、ひたすら恋しく思っておられる。東宮が藤壺腹の生まれゆえ、これという後ろ楯《うしろだて》もいないことを気にかけられ、何事にも力になってやってくれと帝からのご下命《かめい》があるについても、源氏はどこか気が咎《とが》めてならぬ。それでも、やはりそのことが嬉《うれ》しくもあるのであった。

六条御息所、姫君と共に伊勢下向を思う

ところで、かの六条御息所《ろくじょうのみやすんどころ》と今は亡き元皇太子の間に生まれた姫が、この度《たび》伊勢《いせ》の斎宮《さいぐう》に決まったのだが、御息所は〈……源氏の心もこの分では一向に当てにならないし、心

幼い姫を一人で伊勢にやるのも心もとないし、いっそ私も姫について伊勢に下ろうかしら……〉と思うようになっていた。

この元皇太子は、じつは桐壺院の弟君であったので、院は、この源氏と御息所のことをお聞きになって、ただならず心配をされていた。

「亡き皇太子が、たいそう重んじもし、また可愛がってもいた御息所を、そのように軽々しくそこらの女と同じように扱っているというのは、よろしくないぞ。あの斎宮に決まった姫だって、私は、宮中の姫親王《ひめみこ》たちと同等に思っているくらいなのだから、いずれにしても、疎略な扱いはしてはなるまいに。ただただ、放恣《ほうし》な遊び心で、こういう色好みな振舞いをするのは、とかく世の非難を浴びるもとともなるべきことなのだからね」

と、院のご機嫌《きげん》もよろしくない。源氏は、自ら考えてみても、たしかに院の仰《おお》せのとおりにちがいなく、ただ恐れ入って控えているばかりであった。

「よいか、女のためには、恥をかかせるようなことなく、どちらの女も穏やかにもて扱って、無用の恨《うら》みを負うことのないようにしなくてはならぬぞ」

と、わざわざお諭《さと》しがある。

源氏は、こんなご教訓を聞くにつけても、藤壺に対する自分のけしからぬ恋慕沙汰《れんぼざた》の身

恐懼《きようく》して院の御前《ごぜん》を退出していった。

の程知らずを、万が一にも院がお聞きになったら、と想像すると、ひたすら恐ろしく、恐
懼して院の御前を退出していった。

またこんなふうに院のお耳にも入り、それがために直々《じきじき》のお諭しまであったというわけだから、御息所のような人をそのように疎略に扱うということは、その人のためにも、またひいては自分のためにも、いかにも好色の沙汰ということになって厭《いと》わしいことゆえ、もっと大切にすべきだとも思うし、申し訳ないことだとも思う。ではあるが、しかし、そうは思っても源氏は、表立っての正妻というようなしかるべき処遇をするということはしなかった。

御息所のほうでも、なにしろ自分のほうが遥《はる》かに年上だと思えば恥ずかしくもあり、どうでも打ち解けて接するという様子もないから、源氏はそれを良いことに、いかにも御息所のような高貴で年長の方には遠慮して通わないかのようにふるまっている。

かくて、この二人の仲のことは、すでに桐壺院の御耳にも入り、世間では知らぬ人とてもないということになっているのに、なお薄情な源氏の心のほどを、御息所はひどく思い嘆いて暮らしている。

朝顔の姫君の決心

かねて源氏の思い人の一人であった、式部卿《しきぶきょう》の姫君……源氏が朝顔《あさがお》の花につけて歌を贈ったことから朝顔の君と呼ぶのであるが……も、源氏と六条御息所とのことを噂《うわさ》に聞いて、なんとかして自分はその轍《てつ》は踏むまいと深く心に期するゆえ、ちょっとした手紙などを源氏がよこすのには、もはやさっぱり返事もしない。とはいえ、あまりにすげなく無情なる態度では、これまた源氏に恥をかかせることになるから、それなりに風情《ふぜい》のある折々のやりとりだけは欠かさない。源氏は、この朝顔の君の仕向けに対しては、さすがに式部卿の宮ほどのやんごとなき家の姫ともなると違ったものだと感心している。

葵上、懐妊す

左大臣家《さだいじん》では、正妻葵上《あおいのうえ》が、これほどにふらふらと定まらない源氏の心がけに対して、なんとしても面白からず思っているのであったが、とはいえ源氏があまりにも大っぴらに惑《まど》い歩いているのを見れば、もうこれは言ったってしょうがないと思うからだろうか、今ではしんねりむっつりと恨みごとを言ったりもしない。

ただ、葵上は折しも源氏の子を身ごもっていて、悪阻《つわり》のために、傍《はた》で見ているのも気の毒なくらい苦しみ、心細げに思って過ごしている。その様子を見て、源氏は珍しく〈ああ、いとしいな〉と思うのであった。

この葵上の懐妊については、左大臣家の誰もがみな嬉しく思ったものの、といって悪いことが起こりはしないかという心配もあって、さまざま安産祈願の物忌《ものい》みをさせなどしている。……というようなわけで、源氏はこの頃気の休まる折とてなく、六条御息所のことは、決して疎略にしようという積もりはないのだったが、結果的にぱったりと足が向かなくなっていた。

賀茂の斎院の御禊に源氏供奉のこと

その頃、帝の譲位に従って、賀茂《かも》の斎院《さいいん》も交替するということがあり、弘徽殿大后の生んだ女三《おんなさん》の宮がこの職位を占めることになっていた。桐壺院も大后も、この三の宮はとりわけ可愛がっておられた宮だったから、こうして親子の縁を離れて神職に就くということに対しては、たいそう辛《つら》く思われもしたのだが、といってこの宮の他には、これという適格の内親王も見当たらぬことであったから、せめて、それならば就位の儀式など、特別盛大に執り行なわせようということになり、世間の騒ぎも並々でなかった。

かくて、まずは三の宮が宮中の局《つぼね》を出て、禊《みそぎ》の後に、宮中に設けられた仮の斎院（初斎院）に移っていたのだが、足かけ三年の斎戒《さいかい》生活を経て、このほど、いよいよ紫野《むらさきの》にある正格《せいかく》の斎院に移るということになった。この移転については、四月中《うづきなか》の酉《とり》の日に行なわれる賀茂の祭の前日に二度目の禊の儀式が挙行される決まりで、それについても、通常の神事に添えて特別の行事が付け加えられ、ことのほかに見どころが少なくなかった。それもこれも、こたびの新斎院の人柄ゆえと見えた。

その二度目の禊の日に、付き従う上達部《かんだちめ》の数は法律に定めあるとおり、大納言《だいなごん》一人、中《ちゅう》納言《なごん》一人、そして参議《さんぎ》二人、いずれも名声赫々《かくかく》たる公達《きんだち》を選び宛て、それも姿の美しい人ばかりのところへ、衣冠束帯《いかんそくたい》もきらびやかに、長く裾《しり》を引いた下襲《したがさね》の衣《ころも》の色もとりどりに、上に重ねて穿《は》いた袴《はかま》の紋《あや》も、馬の鞍《くら》の彩《いろど》りも、みな立派に調《ととの》えてあった。そういう供《ぐ》奉《ぶ》の公達のなかに、これは帝よりの特段のご下命で、源氏も参議の一人として奉仕することなった。

かくて、宮中から、各高家貴人《こうけきにん》の家々から、一目この美々しい行列、とりわけ名高い源氏の姿を見んものと、物見《ものみ》の車をおさおさ怠りなく用意して繰《く》り出してきた。さしも広々とした一条の大路《おおじ》さえ、ぎっしりと隙間なく車が埋《う》め尽くす騒ぎ、それはもう恐ろしいほどであった。

みなできるだけ良い場所で見物《けんぶつ》しようというので、あちらこちらに仮設された桟敷《さじき》には、ひしと女房衆が詰めかけて、その御簾《みす》の下からちらりと押し出《いだ》して覗《のぞ》かせた女装束《しょうぞく》の袖《そで》の色々も、まことに特筆すべき見ものであった。

左大臣邸の葵上は、もともとそうした祭見物などはまったくしないのが例であったけれど、ことに今は悪阻で気分の悪い日々が続いていたから、もとよりこの行列見物など思いもかけぬことであった。しかし、それでは若い女房たちが収まらない。

「ねえねえ、お行列を、私たちだけでこっそりと見物するなんて、張り合いがないわね。縁もゆかりもない人だって、今日のお行列の、源氏さまを拝見しに行くんですからね、いいかげんな田舎者までがお姿を拝見しようと騒いでいるらしいのに……」

「それに、とんでもない遠国《おんごく》からも、妻子一族引き連れて見物に上《のぼ》ってきた人だってあるっていうじゃない。それなのに、源氏さまのご正室さまがお出ましにならないなんて、それはあまりといえばあんまりよね」

などと大騒ぎをしている。このことが葵上の母宮の耳に入った。

「どうやらご気分もすこしはよろしいようですね。そんなにして引きこもっていては、お仕《つか》えしている女房たちだって張り合いがないというものですよ」

そんな風に女君を諭しなどしたので、にわかに考えを翻《ひるがえ》して、出かける旨の触れが回され、一同見物することになった。

もうすっかり日も高くなる時刻になって、葵上一行はお供回りもさまで仰々《ぎょうぎょう》しからぬ装いで出かけていった。

車争い

しかし、出発が遅くなったため、もう大路という大路は見物の車がぎっしりとひしめきあい、そこに立派な車を何台も引き連ねていった葵上一行は立ち往生して、しかるべき見物場所を見いだしかねていた。一行のなかには、上等の女房車が多かったが、いずれも、あまり下世話な者どもの居ないあたりを求めては、邪魔になる車をどけさせなどして場所を定める。

そういう中に、檜《ひのき》の薄板を網代《あじろ》に編《あ》んだ車体の、いささか使い古した車があった。それでも、内側に掛けた簾《すだれ》などは、どこか風情豊かで曰《いわ》くありげである。車の主《あるじ》は簾の奥深くに身を隠しているので、誰とも見えぬが、その簾の下から覗かせた女房どもの袖口や裳《も》の裾《すそ》、あるいは近侍《きんじ》の童女の晴れ着の袖などを見れば、いかにもその色合いが美しくて、しかるべき身分の方のお忍びの車であることがはっきりしている。そういう車が二台停《と》まっている。

葵上かたの者が、この二台をどけさせようとすると、相手の従者はこれを肯《がえ》んじない。

「これは、断じて、そのように簡単に押しのけられるようなお車ではありませんぞ」

そう強硬に言い張って、手も触れさせまいとする。

しかし、どちらの車の従者どもも血気盛んな若者で、しかも、折しも祭のこととて酒が入っている。しだいに気負い立って大騒ぎになり、喧嘩《けんか》ずくになっていくのを、女房たちの力ではどうにも停めることができない。さすがに分別盛りの従者や前駆《さきが》けの者たちは、

「そんな手荒なことは、するな」

と停めようとするけれど、いっかな聞くものでない。

じつは、このお忍びの車というのは、伊勢の斎宮の母君すなわち六条御息所が、懊悩《おうのう》する心を慰《なぐさ》めるよすがにもと思って、お忍びで出かけてきたのであった。いかにもさりげない風情ではあったけれど、それが御息所の車だということは、すぐに知れた。

「やいやい、その程度のやつらに、偉そうなことを言わせておくな。おおかた、源氏の大将の思われ人だからとて、おのれも偉ぶってやがるのであろう」

など悪口雑言、葵上かたの従者のなかには源氏の供人《ともびと》も混じっていたので、これには、さすがにお気の毒なと思いもしたけれど、といって、喧嘩の仲裁沙汰も面倒だと思って、知らん顔をしている。

御息所、屈辱のうちに行列の源氏を見る

しまいに、とうとう葵上一行の車がずらりと良い場所を占拠して、御息所の車は一行のお供車のさらに後ろに追いやられ、行列もろくに見えなくなってしまった。

収まらないのは御息所の心である。悔《くや》しいこともさることながら、こうやって姿を窶《やつ》し

て質素な出で立ちでやって来たのを、自分だと知られてしまったのも癪《しゃく》に障《さわ》って、心のやりどころもないのであった。ついには、車の長柄《ながえ》を置く榻《しじ》(台)などもみな、乱暴に押し折られて、長柄が他の車の車軸の筒《どう》あたりにみっともなく突っかけてあるなど、不体裁なことは言いようもなく、その悔しさ、御息所は、〈……いったい何でこんなところへ来たのであろう、悔しい……〉と切歯《せっし》扼腕《やくわん》したけれど、どうにもならぬ。かくなる上は、もう見物もなにもせずに、直《ただ》ちに帰りたいと思ったけれど、車は四方を取り囲まれて身動きもならぬ。やがて、

「お行列が来たぞ」

という声が聞こえた。

帰りたいと思っていた御息所も、それを聞けばさすがに、あの薄情な源氏のお通りを待って見ていきたいと、どうしても思ってしまう、女心の弱さであった。

御息所は「ささの隈檜《くまひ》の隈川《くまがは》に駒とめてしばし水飼《みづか》へ影をだに見む(あの笹の陰の、檜の隈川のあたりに駒を停めて、しばし水を飲ませてやってください。その間《あいだ》に、せめてあなたの後ろ姿なりとも見ていたいから)」という古歌を思いながら、その後ろ姿を見るべき「笹の隈」でもないこんなところに追いやられて、源氏が自分には気付きもしないで知らん顔で通り過

ぎていってしまうのを、呆然《ぼうぜん》と見送っていた。

〈……ああ、つくづく、こんなところに来るのではなかった……〉とて、今さらながらに後悔し懊悩の限りを尽くす御息所であった。

あたりを見れば、晴れの装いを凝らした車また車、我も我もと、その車の御簾の下から覗かせている女房たちの袖の色々、源氏はなにげない表情で通り過ぎながら、なにか思い当たるところがあるのか、ニヤリと流し目に見留《みとど》める車もある。なかでも、左大臣家の車は、その豪奢《ごうしゃ》なつくりからすぐにそれと知れる。ああ、あそこに葵上が乗っているなと思うと、源氏は敢えて真面目らしい顔で通り過ぎていく。それにつれて、お供の者共も、等しく葵上の車には敬意を表わしつつ、うやうやしく過ぎていった。これを見るにつけても、六条御息所は、左大臣家の威勢に押され自分は蔑《ないがし》ろにされたことを思って、なんともいえない気持ちになった。

かげをのみみたらし川のつれなきに
身の憂《う》きほどぞいとど知らるる

あの方の後ろ影だけでも見たいいと、この禊《みそぎ》するみたらし川に来てみたが、

その水は冷淡で、かえって自分の身の上の辛さばかりが思い知られる

と、つぶやくように詠じては、涙を流している。

こんなところを見られるのはお付きの者たちの手前も悪いけれど、でも、こうして目もくらむばかりに美しい源氏の様子、容貌《ようぼう》の、かかる晴れの場に出ていっそう引き立って見えるのを、もし見ないでしまっていたらどんなに残念なことだったろうと、またそんなふうに思い直しもするのであった。

斎院の行列に供奉《ぐぶ》の人々は、みな身分相応にそれぞれの装束・身なりなどを十分に整えて臨んだらしく見えるなかにも、上達部ともなればまた一段と違って見える。ただ、源氏ばかりはさらに格別で、その光り輝くばかりの美しさに比すれば、他の人々は、しょせん月の前の星のようなものであった。

近衛の大将の臨時の随身《ずいじん》に、殿上《てんじょう》を許された将監《しょうげん》の位のものが任じられるというのも特別なことで、かれこれいかにも珍しい行幸などの折のやり方なのだが、今日も今日とて蔵人にして右近《うこん》の将監《ぞう》を兼ねる者が源氏の随身を務めているのは、威風堂々まことに立派に

見える。それ以外の随身どもも、容貌風姿、いずれもまばゆいばかりの美しい者を揃《そろ》えている。そうした随身どもにかしずかれている源氏の姿を見れば、心無き草木までもこれには靡《なび》くかと思われるほどであった。

衣を腰ひもで端折《はしょ》り市女笠《いちめがさ》をかぶった徒歩《かち》の女たち、それもさまで下賤《げせん》の者でもなさそうなのが、たくさん詰めかけている。また本当はこんなところに来るべきでない世捨て人の尼《あま》までが、押しあいへしあい、こけつまろびつ見物に押しかけているのを見ても、ふつうならば〈あれあれあんなこと、よせばいいものを〉と思うところだけれど、今日ばかりは、源氏のお出ましとあれば仕方ないことと思われる。

さらには、口をすぼめ、笠で面《おもて》を隠しもせずに、髪は上着のなかにたくしこんだ下々《しもじも》の女どもは、手を合わせて額《ひたい》のあたりに当てて拝《おが》もうかという始末。はては、間抜けづらのおやじどもに至るまで、源氏の姿をみては、もう嬉しいやら感動するやらで、開いた口が塞《ふさ》がらず、顔をゆがめて笑いかわしている。その顔つきときたら、きっと本人は自分がいかにとんでもない顔になっているか、気もつかずにいるのであろう。

さてまた、源氏の目には絶対に留《と》まらないに決まっている、木《こ》っ端《ぱ》受領《ずりょう》の娘などまでが、これ以上はできませんというくらいに飾り立てた車に乗って、一人前な様子を作って、我こそはと気取って見せているなど、いやはや面白可笑《おか》しい見ものであった。

朝顔の姫君も初めて源氏を見て自戒す

ましてや、源氏があちらこちらと、こっそりお忍びで通っている先の女君たちともなると、こんな様子を見れば自分などはそれこそ数のうちにも入らない存在に過ぎないのだということを思い知らされて、人知れず嘆きを募《つの》らせる人も多かった。

桐壺帝の弟宮の式部卿宮《しきぶきょうのみや》は、桟敷《さじき》で見物していた。

〈うーむ、なんとこれは目もくらむほど美しくなってゆく、あの源氏の容貌だが、あれでは神に魅入られるということもあるかもしれぬ……〉と、宮は、なにやら不吉な思いにかられた。その式部卿宮の姫君（朝顔の姫君）には、もうここ何年と源氏から熱心な懸《け》想文《そうぶみ》などが届けられているのだが、その熱心さといったら、とても世間一般の男と同じにはできぬ。これほど熱心に口説《くど》かれたら、もし男前がそこそこであっても女心は多少とも動くだろうに、ましてや、〈なんだって、あんなに美しくていらっしゃるのだろう〉と思うほどの美しさを目《ま》の当たりにしては、さすが頑《かたく》なな心も動かずにはいない。そうはいっても、実際にごく近くで逢おうとまでは、思いもよらないのであった。ただ、そのお付きの年若い女房どももともなれば、とてもはたで聞いていられないくらい、あれこれと夢中になって源氏を褒《ほ》めちぎった。

葵祭りの当日、紫の君の髪を源氏自ら削ぐ

さて、祭の当日になった。

葵上は、もはや見物に出かけていかない。あの禊行列《みそぎぎょうれつ》の折の車争いのことを、ことこまかに見たまま報告する人があったので、源氏は、たいそう疎《うと》ましい情《なさけ》ないことだと思った。それにつけても、

〈ああ、せっかく身分も重々しい人だのに……惜しいことに何事にもあのような情知らずだ。あのそっけなさが身についているものだから、こんなことが出来《しゅったい》する。葵上自身は、まさか御息所に対して別段の対抗心も持ちはせぬだろうけれど、妻妾の仲らいは優しく心通わすべきものだという情理を、いっこうにわきまえない葵上の考え方に影響されて、上から下へと以心伝心の結果、しまいに下々《しもじも》の端《はし》た者がしでかしたことなのであろうな。

……それにしても、御息所は、もともとお心ばせもごく控え目な方だし、また日頃から由緒正しい生活をしておいでだったものをな……どんなに不愉快な思いをされたことであろう……〉と、御息所がかわいそうでならなかった。

そこで、源氏はせめてもの慰《なぐさ》めにと、六条の邸《やしき》に出かけていったが、御息所は、伊勢の斎宮に選ばれた姫君がまだ邸にいるので、本来清浄であるべき身ゆえ、男子の穢《けが》れを憚《はばか》るという理由にことよせて、心安く源氏に対面することはしなかった。

そういう様子を、源氏は、もっともなことだと頭では納得するのだが、それでも、

「どうしてだ。葵上ばかりか、御息所まで、よそよそしさで張り合わずともよさそうなものを」

と、ついついぼやかずにはいられない。

祭の当日、源氏は、左大臣方にも行かず、二条の邸に離れていて、そこから祭見物に出かけていく。西《にし》の対《たい》に住んでいる紫の君のところへ渡っていって、源氏は惟光《これみつ》に車の用意を言いつけた。

「そこの女房たちもいっしょに行くか」

源氏は、近侍の女の童《めわらわ》たちに、そんなことを言って戯《たわむ》れる。紫の君は、すっかりお出かけの装いをして、たいそうかわいらしくおめかしなどしているのを、源氏はにっこりと微《ほほ》笑《え》んで見ている。

「そなたも、さあ、いらっしゃい。一緒に見物しましょうぞ」

など言いつつ、源氏は、いつにも増してつやつやと美しい髪の毛を掻《か》き撫《な》でながら、またこんなことも言った。

「だいぶ、この髪も削《そ》ぎ揃えずにいるようだけれど、今日は酉の日ゆえ、その髪削ぎには吉日ではないかな」

と、すぐに暦学《れきがく》の博士《はかせ》を召し寄せて、髪削ぎすべき時刻などを調べさせる。その上で、

「最初に、そっちの女房たち、出ていらっしゃい」

と呼ぶと、女の童たちが出てきた。その姿はいずれも風情豊かで好ましい。近侍の者に命じてその童たちの髪を削ぎ終わると、毛先がきちんと揃って、模様を浮き出させた綾《あや》の袴《はかま》のあたりに懸《か》かっているのが、くっきりと見える。

「そなたの髪は、私自身が削ぎましょう」

源氏は自ら剃刀《かみそり》を手にし、紫の君の髪を削ぎにかかる。

「あれあれ、まあずいぶんと豊かな髪だね。この分では、この先どれほど伸びることだろうか」

など言って、どうやら手に余る様子である。

「髪のたいそう長い人でも、この額髪《ひたいがみ》だけはすこーし短くしているように見えるが、それにしても、後れ毛などがまったくないのも、かえって風情がないかもしれないな」

などとぶつぶつ言いながら、とうとう削ぎ終わり、最後に、

「千尋《ちひろ》!」

と呪文を唱える。髪が千尋も長く伸びるように、伸びて美しい人になるように、とまじないったのである。こんな様子を、乳母の少納言《しょうなごん》は、なんというもったいないことだろうと、うれしく見ている。

源氏はことほぎの歌を詠じた。

はかりなき千尋の底の海松《みる》ぶさの
生ひゆくすゑはわれのみぞ見む

計り知れないほど深い、千尋の深海に生える海松は、どこまでも伸びていくであろうけれど、

その海松のように果てしなく伸びていくこの君の黒髪の行く末は、
ほかでもないこの私だけが見ていよう

こう朗詠するのを聞いて紫の君は、さっそく返歌をものす。

千尋ともいかでか知らむさだめなく
満ち干る潮《しほ》ののどけからぬに

千尋とかなんとかおっしゃいますが、そうおっしゃる君のお心の深さは、さてどうでしょうか、
私にはわかりません。だって今だってこうしていつも干満定めない潮のように、
出たり入ったり落ち着かない君のお心ですもの

と、これは何かの紙きれに書きつけている、その様子はなかなか大人びたところがあるものの、やはり初々《ういうい》しくて魅力的なのをみれば、源氏は、素晴らしいなと思うのであった。

ここにも源典侍が！

見物に出てみると、今日もまた、物見《ものみ》の車で立錐《りっすい》の余地もない。左近《さこん》の馬場《ばば》の殿舎《でんしゃ》のあたりに車を停めたいが、なかなか空きがない。

「上達部の車が多くて、どうも騒がしいね、ここらへんは」

源氏が、どこに停めたものかと躊躇《ちゅうちょ》していると、そこに、妙に上等な女車が停まっていて、簾《すだれ》の下からは、たいそう派手な袖口が押し出されている。その簾の下から扇が差し出されてきた。そうして、源氏の車の供人を呼び寄せると、

「ここにお停めになりませぬか。わたくしどもは、もう少し下がって拝見いたしましょうほどに」

と殊勝なことを言う。さてこれはどんな洒落者《しゃれもの》が乗っているのであろうと思って、源氏は、その場所に車を引き寄せさせた。見物にはちょうどいい場所である。

「こんなに良い場所を、どうやって得られましたか。ちょっと悔しく思いますが……」

と源氏は言い掛けてみる。すると、なにやら曰《いわ》くありげな檜扇《ひおうぎ》の端をちょっと折って、

そこに、

「はかなしや人のかざせるあふひゆゑ
　神のゆるしのけふを待ちける
　わけもないことでございましたこと。もうそうやって他の御方が頭に挿頭《かざ》している葵（あふひ）なのに、私にはちっとも逢って下さらない。せめて今日こそは自分も神のお許しを得て貴方様に逢ふ日となるかと、祭の日を待ち焦がれておりましたものを
　そうやって、どなたか良いお方が、占め縄を張っておられては、とてもとても入っては行けませんものを」

と、こんなことが書いてある。その筆跡に見覚えがあるのを思い出してみれば、うへっ、あの老女源典侍《げんないしのすけ》の手跡《しゆせき》に相違ないのであった。〈なんてことだ。びっくり仰天、六十にもなる老女でありながら、いまだにえらく若ぶって色好みの沙汰をすると見える〉と、うんざりして、そっけなくあしらうことにした。

　かざしける心ぞあだにおもほゆる

八《や》十《そ》氏《うぢ》人《びと》になべてあふひを

葵（あふひ）を挿頭して、とかおっしゃいますが、そのお心はどうも浮気なことではないかと思われますね。なにしろこの葵祭《あふひまつり》は八十氏人に逢ふ日だというくらいですから、あなたもきっと八十氏人に逢ふ日を重ねられたんでしょう

女は、〈ま、ひどいっ〉と思って、またこう歌い返した。

くやしくもかざしけるかな名のみして
人だのめなる草葉ばかりを

ああ、くやしくも葵を挿頭《かざ》してしまいました。あふひだなんて名前ばっかりで、逢ふ日なのかと思ってその気になっていたら、とんだこと、そこらの草葉に過ぎませんでしたわ

それにしても、源氏が誰か女の人と相乗りをして、御簾をすら上げずにいることを、岡《おか》焼《や》きしてくやしがる女たちが多かった。あの御禊《ごけい》の行列の日に、あんなに立派で美しかった源氏の容姿を思い合わせるにつけて、〈きょうはえらくまたくつろいだ行き方でお出かけになったものよ。それにしてもあの同乗の女はどんなひとであろう、きっと源氏と並ん

で乗っているくらいだから、相当に美しい人でないわけはない〉と、心ごころに推量しては噂しあうのであった。

〈……それにしても、この葵祭の挿頭《かざ》し争いの相手が、あの婆さんの源典侍ではなあ……〉と、源氏は、いかにも物足りない思いでいる。いやいや実際には、源典侍ほどの面《つら》の皮の厚さがなくては、このように源氏がどなたかと同車して来ているのに気圧《けお》されて、口から出任《でまか》せの返歌なりとも、当意即妙にやりとりするなんてことは、とうてい面映《おもは》ゆくてできなかったに違いないのであった。

六条御息所の懊悩

六条御息所は、かの車争いの一件以来、心の乱れに懊悩されることが、ここ数年よりも多くなっていった。源氏の愛情がすっかり冷めてしまったということは、おおかたあきらめが付いていたけれど、さりとて、もう今は思い切って源氏のそばを離れて伊勢に下向して行くとなれば、それはそれでたいそう心細いことであろうし、また世間の評判も、きっと物笑いの種になるに決まっていると、悲観的に思っている。さりとて、気持ちを切り替えて京に留まるようにしようとすれば、こんどは、あんな残酷なやりかたで、下賤のものまでが自分を侮辱するかもしれないこともあろうから、やっぱり心穏やかではいられない。

〈あの「伊勢の海に釣する海士《あま》の浮けなれや心一つを定めかねつる（伊勢の海に釣をしている海辺の民の釣竿の浮きのように、私は自分の心をきちんと動かぬように鎮《しず》めかねている）」という古歌の「浮け」のように、私はフワフワと心定まらない……〉と、起き臥《ふ》しにつけて悩みわずらっているせいだろうか、その気分もフワフワと漂っているように頼りなく、体調もすぐれぬままに過ごしている。

源氏は、御息所が姫君に随行して伊勢に下ってゆくことについては、いささか局外《きよくがい》に立っているような風情で、だからもってのほかのことだとして妨げをなそうとも思わない。

それで、

「わたくしのような物の数でもないものと逢うのは、もういやなことだと思《おぼ》し召《め》すのも道理ではございますが、今はやはり、こんなつまらぬ男でも、このまま生涯添い遂げてくださるのこそ、浅からぬお心と申すものではございますまいか……」

などと、なにやら絡《から》みつくようなことを言い言いするので、そうなれば御息所の心にも思い切れない未練が生じて、結局なかなかきっぱりとは定め兼ね、ただただ懊悩するばかりであった。だからこそ、その心の慰《なぐさ》めにもなるかと、御禊の行列見物に出かけたのだったが、その見物の場の御禊河《みそぎがわ》で、よりにもよって手荒い揉《も》め事に巻き込まれて、それはそれは、なにもかもがひどくつらいことと、憂《うれ》いは募る一方であった。

葵上、物の怪病みに苦しむ

左大臣の邸では、葵上がどうやら物の怪《もののけ》病みらしく、ひどく具合が悪い。周囲の誰もがそのことを思い嘆いているありさまでは、さすがの源氏もあちこち出歩くわけにもいかず、二条の自邸にも時々帰るに過ぎなかった。

日頃はとかくに心の通わない妻ではあったが、といって正室として重んずるという点では格別に思っている人ではあるし、さらに結婚後十年も経ての懐妊による苦しみということもあって、さすがに心苦しく思い嘆いて、源氏は源氏でまた独自に験者《げんざ》を請《しょう》じて御修法《みずほう》やら何やらと、重ね重ねに勤行《ごんぎょう》させる。

すると、物の怪やら、生霊《いきすだま》やら、あれこれと姿を現わして、さまざまの名告《なの》りをするなかに、一つだけ、憑りましの者にも乗り移ることなく、ただ葵上本人の身辺にじっとりと憑《つ》きまとって、ことさらに散々な苦しみを与えるというわけでもなく、ただただ、片時も離れようとしない、そういう怨霊《おんりよう》が見えた。この怨霊は、どんなに法力《ほうりき》の強い験者にも従わず、その執念深い様子は、なまなかのモノではないな、と思われた。これはおおかた、恋の妄執《もうしゆう》に違いないと、近侍の女房たちは、源氏の通っている女たちのあれかこれかと疑ってみる。

「あの六条御息所か、二条のお邸にお囲いになっている女君、そのあたりがどうも怪しいわ」

「そうそうこのお二方は並大抵のご寵愛《ちようあい》じゃないという噂だから、葵上《うえ》さまに対する怨念も、きっと深いはず」

などと囁《ささや》きあって、祈禱《きとう》中の陰陽師《おんみようじ》などにも占わせてみるのだけれど、こればかりは確かに言い当てることもできないのであった。

じっさい、物の怪といっても、とくに恨みの深い怨敵《おんてき》だとかそんなふうに言挙《ことあ》げするわけでもなく、果てはもう亡くなった葵上の乳母《めのと》というような者だとか、あるいは家筋に取りついている死霊が病人の弱ったのにつけ込んで出てきたのとか、大したことのない物の怪が続々と名告ったりもするのだが、いずれも葵上の病の原因ではないらしい。

そうこうするうちにも、葵上はただ延々と泣き叫ぶばかりで、折々はまた胸を詰まらせて堪《た》え難《がた》い苦しみに悶《もだ》えることもあり、これはさてどうなってしまうのだろうかと、皆々、不吉なそして悲しい思いにおろおろするばかりであった。


桐壺院からも、お見舞いの使いが引きも切らず下《くだ》り、院には、かれこれご祈禱のことまであれこれとご心配くださることの恐れ多きにつけても、万一というようなことがあってはなんとしても惜《お》しまれる、葵上はそういう大切な大切な人であった。

かくして、だれもかれもが、葵上の身を惜しむようなことばかりが聞こえてくることもまた、六条御息所にとっては心穏やかではない。もとはといえば、御息所から見て葵上は別世界の人だったから、源氏を巡って、必ずしも張り合うというような気持ちもなかったのだが、あの御禊の日の車争いで、葵上の車に散々な目に遭《あ》わされたことがきっかけになって、御息所の心に怨念が蠢《うごめ》きだしてしまったということを、左大臣家では、まさか思い寄りもしなかった。

六条御息所も病に苦しみ、源氏が見舞いに訪れる

こうした心理的煩悶《はんもん》のせいであろうか、御息所のほうでもまた、体調は少しも好転せずにいる。といって、斎宮と一緒の六条の邸では、まさか仏法や修験《しゅげん》を頼むわけにもいかぬことゆえ、他の場所に引き移って、さまざまの祈禱をさせなどするのであった。

これを伝え聞いた源氏は、御息所の容態はどうなのであろうかと心配し、労《いたわ》しく思って、やっと思い立って見舞いに訪れた。六条の邸ではなくて仮の宿りのことゆえ、常よりもいっそう人目を忍んでの訪問であった。

……ずっと思ってはいたけれど、この状況ではどうにも出かけることができなかったのだ、……などなど御息所の心に宥恕《ゆうじょ》の気持ちが起こるように諄々《じゅんじゅん》とかきくどき、かつはまた、葵上の病苦の有様なども切々と哀訴したりするのであった。

「なに、葵上のことは、わたくし自身は、それほど心配などしておりません。が、なにぶんあの親たちが、それはもう一大事のように大騒ぎをするのを見ておりますと、ここでわたくしが出歩くようなことはいかにも気の毒に思いまして、まあこういうときは些《いささ》か外出

を控えて騒ぎが収まるのをやり過ごそうと思っておりました。それで……、ですから、なにごともどうか、ゆるゆるとしたお気持ちでいて下さるなら、わたくしは嬉しゅうございます」

などと、至らぬ隈《くま》もなく語らいかける。そうして、その間も、御息所のいつにもまして苦しそうな様子を、〈……それも道理というものかもしれぬ〉と、労《いたわ》りに満ちた視線で見つめるのであった。

こうしてぎくしゃくした空気のまま、しらじらと夜が明けてしまった。もう源氏は帰らなくてはならぬ。その出で立つ源氏の姿を見るにつけても、ああ、美しい、と御息所は思う。そして、

〈……こんなに素晴らしい方に別れて、伊勢なんて遠くへ行くのは、やっぱり考え直そうかしら〉などと思い返したりもするのであった。

〈それに、ご正室のお方には、お子もお生まれになるとあれば、これからはますます源氏さまのお心はそちらのほうへ寄り添っていくのにちがいない。やはり、あのお方お一人にやがて落ち着かれるのであろうものを、私などがこうして、未練にお待ちしているというのも、思えば心を磨《す》り減らすばかりのことであろうに……〉と御息所は一心に自分の心に

言い聞かせる。〈……それなのに、こうして源氏さまが忘れた頃に突然やってきたりするのは、寝た子を起こすようなもの、ようやくに静まりかけた自分の心が、これでまたかき乱される〉と、御息所はとつおいつ煩悶《はんもん》している。〈……でも、また来てくださらないものか〉と半ばは期待する思いもある。

しかし、肝心の源氏は来ず、手紙だけが日暮れ頃に届けられた。

「このところは、しばらく容態が安定しておりましたところ、きょうはまた急変いたし、ひどく苦しげにしておりますので、見放しても出られませず……」

などとその文面にあった。

〈ああ、また例によって口先の言い訳ばっかり……〉と、御息所は白けた思いで読んだもののの、それでも返事に、

「袖濡るるこひぢとかつは知りながら
おりたつ田子《たご》のみづからぞ憂《う》き

田に下り立てば袖が泥（こいひぢ）に濡れるに決まっていると最初から分かっていたのに、それでもその深い恋路（こいひぢ）に下り立つ農夫のような、この身の憂《う》さ辛さでございます

あの『山の井の水』の古歌の心も、なるほど道理と思い当たります」と、書いて送った。「くやしくぞ汲《く》み初《そ》めてける浅ければ袖のみ濡るる山の井の水（ああ悔しい、あんな山の湧《わ》き水を汲み初めてしまって。あなたのお情《なさけ》など、しょせん山の泉のように浅くて、汲んだとてただ袖が（涙に）濡れるだけだったものを）」という古歌を引き事に、ちらりと思いの丈《たけ》を当てこすったのである。その文面に凝《こ》らされた女の恨みに源氏はいささか辟《へき》易《えき》しつつ、しかしその筆跡の並々ならぬ見事さにはつくづく感心もする。そこでふと、その心中に思い出されることがある。

〈……それにしても、男女《おとこおんな》の仲というものは、いやはやどうにもならぬものだ。そういえば、あの雨夜の品定めに、左馬頭《さまのかみ》などがこもごも申していたとおりだ。心も姿も、どこにもなんの取り柄もないなんて女もいないかわりに、すべて満足な理想の妻というような女も見当たらない、それが世の中というものか……〉

源氏は、なんとかならぬものかなあ、と思った。そして、もうすっかり日も暮れてしまった時分に、こう返事をしたためた。

「『袖のみ濡るる』と仰《おお》せあるは、いかがなものでございましょう。思うにそれは貴方のお情の深からぬゆえでもございましょうか。

浅《あさ》みにや人はおりたつわが方《かた》は
身もそほつまで深きこひぢを

あなたはきっと田の浅いところに下り立たれたのでしょうね。私の立っているところは、あの案山子（そほづ）のように体全体がぬれそぼつほど深い泥（こひぢ）のなかにおります。そのくらい深い恋路（こひぢ）ゆえ、とてもとても袖が濡れたなどという浅いことではありませぬものを

ほんとうは直々《じきじき》に参上して自らこのお返事を申し上げたいところなのでございますが、それが出来ぬのは、並大抵の事情ではないのだとお察しください」

返事にはそんなことが書いてあった。

物の怪、猛威をふるう

左大臣の邸では、葵上に取りついた物の怪がますます猛威をふるって、病状はひどくなる一方であった。

どうやら六条御息所の生霊《いきすだま》が祟《たた》っているらしい、いや御息所の今は亡き父大臣《ちちだいじん》の怨霊の

せいだ、などと噂されているということが御息所の耳に入ってくる。そこで、つくづくと思いめぐらしてみると、〈……私は、この身の辛さを嘆きこそするけれど、いままで一度だって人のことを悪《あ》しかれと呪《のろ》ったり恨んだりしたことはない。……だけれど、あまり悩みが深いと魂が体から抜け出ていくとも聞くし……あ、そういえば……〉と思い当たるところがあった。

この何年か、何につけても物思いに苦しむことばかりではあったが、それでも理性を失ったことはなかった。それなのに、あの御禊《みそぎ》行列の日、わけもない諍《いさか》いの折に、葵上方の者共から散々なるあしらいを受け、ひどく蔑《ないがし》ろにされた、それ以来、一途《いちず》な苦しみに理性を失った魂が、どうしてもその身の内に鎮まっていることができなくなったのだろうか、すこしまどろんだ夢に、あの葵上とおぼしい人がたいそう麗《うるわ》しい様子で臥せっているところに行って、引き倒したり掻きむしったりし、まるでいつもの心とは似ても似つかず、猛々《たけだけ》しく荒ぶってどうにも抑制できない気持ちが沸々《ふつふつ》と滾《たぎ》って、これでもかこれでもかとぶったり叩《たた》いたり……そういうところが夢に見えたことが、一度や二度ではなかった、と思い当たって、御息所は愕然《がくぜん》とした。

〈ああ、なんて嫌《いや》なこと……。ほんとうに私の魂がこの体を離れて行ってしまったのだろうか〉と、まるで夢うつつのように思う折々もあって、〈とかく、世間というものは、さしたることでなくても、人のことはなにかと良いことは噂せず、悪いことばかり口さがないいい立てるのだから、まして、こんなことはさぞ面白半分で好きなように言いそやす種にするに決まっている……となると、これはもうとんでもない悪評が立ちそうだし……〉と御息所は懊悩する。

〈とかく死んでの後に怨霊になったの、それが祟ったのという噂は世間にありがちなこと……それだって、他人事《ひとごと》として聞いたら、いかにも罪深く不吉千万《せんばん》なことだと思うに違いない。まして、自分はまだこうして生きているのに、そんな奇怪な噂を立てられてしまうなんて、私には、いったい前世からのどういう悪因縁があるのだろう……ええ、もうこれっきり、決して決してあのつれない源氏さまのことなど、心にかけることもしないようにしよう〉と自分に言い聞かせるけれど、……けれども現実には、「思はじと思ふもものを思ふなり思はじとだに思はじやなぞ（思うまいと思うのも、やっぱりその人を思ってしまっていることになるのだ、その思うまいなどということ自体を思わずにいることが、どうしてできないのだろうか）」という古歌の心さながら、思うまいとしても、それ自体が源氏を思ってしまっていることになる、とそう気付く御息所なのであった。

息女の新斎宮は、本来昨年のうちに、内裏《だいり》に設けられた仮の物忌みの御殿に移らなくてはいけなかったのだが、さまざまに支障があって、この秋やっとそちらに入った。そしてそのまま直ちに九月《ながづき》には嵯峨野《さがの》の野宮《ののみや》に移らなくてはいけなかったので、慌ただしく二度目の御祓《おんはら》えを急ぎ、同じ秋の内に重ねての祓えの儀礼が執《と》り行なわれるべきところだったのだが、母の御息所が何とは知れずぼんやりとしてしまっていて、ただただ物思いに伏《ふ》し沈んで体調もすぐれないというわけで、奉仕の宮人たちも、これを一大事と見てはあれこれ祈禱などを手配させたことであった。といって、御息所の容態はさしてひどく苦しむということでもなく、ただなんとなく具合が悪いという程度で、月日が過ぎていった。源氏も、心配してしばしば見舞いの便りなどはするのだが、なにぶんにも、もっと大事な人が重篤《じゅうとく》な病に苦しんでいるので、いかにも気の休まる時とてないのであった。

葵上、出産間際、物の怪が正体をあらわす

葵上は、まだすぐに産が下りるという時期でもないと思って、家中のものが油断をして

いるところに、俄《にわか》に産気づいた様子で、苦悶もいちだんと募ってきた。そこで、すこぶる法力《ほうりき》ありという評判の祈り手を何人も頼んでは手を尽くして祈禱させたけれども、例の、執念深い物の怪一つだけが、どうしても退《しりぞ》く気配がない。さしも霊験《れいげん》あらたかなる験者たちも、かほどにしつこい怨霊は見たことがないと苦悩を深めるのであった。

それでも力量ある験者たちの強力な調伏《ちようぶく》に遭《あ》っては、さすがに物の怪のほうも苦しいと見えて、泣きわめき悶えながら、突如口を開いた。

「お願いです、すこし調伏の手をゆるめてください。源氏の君に申し上げたいことがあるのです」

女房たちは、

「やはりそういうことでしたか、……きっとしかるべき理由《わけ》があるのでございましょう」

と納得して、葵上の臥せっている几帳《きちよう》のそばへ源氏を招じ入れた。

葵上はもはや今はの際《きわ》という容態になっている。されば、今生《こんじよう》の別れに源氏に言い残したいことでもあるのであろうと推量して、左大臣も母宮も、遠慮してすこし下がったところに身を引いた。

それまで火を吐くように祈り伏せていた加持祈禱の僧侶《そうりよ》たちも、今は勢いを静めてしめやかに法華経《ほけきょう》を読誦《どくじゅ》している。その様子はいかにも尊い。

几帳に掛けた垂れ絹を引き上げて、源氏が葵上の様子を見ると、たいそう美しく、お腹《なか》は満々《まんまん》と膨《ふく》れ上がって臥《ふ》している、こんな様子を見たならば、たとえそれがまったくの他人であったとしても、心乱れることであったろう。まして、源氏にとって葵上は正室にほかならぬゆえ、このまま今生の別れとなるなどは、残念で悲しくてやるかたもない。それもまったく道理であった。

女君は真っ白な衣を着て、それとは対照的に、真っ黒に長い髪がたっぷりとして、それを引き結んで枕のほとりに置き添えてある。

〈いっそ普段からこんな気取らぬ様子であったなら、労ってやりたいようなけなげさも覚えるし、自然な美しさも添うて感じられるというものだったのにな〉と思って源氏は見つめている。そして葵上の手を取ると、

「ああ、なんてことだ。私をこんなに辛い目に遭わせてくれるとは……」

そういって源氏は、言葉にもならず、ただただ声を上げて泣きじゃくる。その泣き声に、葵上はふと源氏を見上げたが、いつものような冷然とした眼差しではなくて、だるそうにじっと源氏を見つめつつ、その両眼からはらはらと涙がこぼれた。これを見ては、源

氏の悲しさはいかばかりであったろうか。

御息所の生霊、正体をあらわす

葵上のあまりにひどく泣く様子を見て、源氏は思った。

〈これは、苦悩しておられるご両親のことを案じておられるのでもあろうか、それとも、こうして私を見つめられるにつけても、これきりの別れかと残念にお思いになるのであろうか……〉と推量して、源氏はすぐに慰めの言葉をかけた。

「なにごとも、そんなに一途に思い詰めなさいませぬように。どうあっても、大したことでもございますまいから。また、たとえ今はお別れすることがありましょうとも、かならずまたどこかで逢う折もあると聞きますほどに、きっと再びお目にかかりましょう。父大臣《おとど》も母宮も、親子のご縁は世々《よよ》に尽きせぬ契《ちぎ》りでございますから、またいずれかの世で相見ることがあると思いなされよ」

源氏がそう慰めると、葵上の口からは、まるで別人の声で、言葉が漏《も》れでてきた。

「いえ、そうではありませぬ。わたくしがここに参りましたのは、……どうかわたくしの身がひどく苦しいのを、すこしでも安らぐようにしていただきたいと、それを申し上げたくて参りました。こんなふうに、ここへ参りましょうともさらさら思ってもおりませんでしたが、あまりに物思いをすると、人の魂はその身から離れて彷徨《さまよ》ってゆくものだったのですね……」

と、いかにも懐《なつ》かしげな口調で言って、なお一首の歌を歌った。

嘆きわび空に乱るるわが魂《たま》を
結びとどめよしたがひのつま

嘆き、悲観し、あげくに空中に彷徨《さまよ》い出でてしまったわたくしの魂を、どうか結び鎮《しず》めてください、あなたの下前の褄《つま》を引き結ぶまじないをして

いや、その声も口調も、また物言う様子も、葵上とは似ても似つかぬ……。

〈こ、これは、いったい、誰だ〉と、よくよく思い巡らしてみると、誰あろう、あの六条御息所その人であった。

まさかこんなことが、とあきれ果てて、源氏は思った。〈人が口さがなくいろいろと噂しているのを、しょせんは下《しも》ざまの者どもが出任《でまか》せを言うのだろう、聞くに堪《た》えない空言《そらごと》

だと、いままで黙殺してきたが、このようなことを目の当たりに見《ま》せられては、……じっさいに世の中にこんなこともあるのか……〉と、疎ましく思った。

〈ああ、嫌なことが起こった〉と思いつつ、源氏は毅然《きぜん》としてこう物の怪に問い掛けた。

「そのようなことをおっしゃるが、誰であるのか、私には分かりかねる。はっきりと名をお名告《なの》りなさい」

しかし、物の怪は何も答えない。答えないが、その葵上の仕草《しぐさ》や様子が、まごうところもなく、御息所のそれにちがいない。ただ、「おどろきあきれる」などという程度の表現ではありきたりすぎて、この尋常ならぬ気味悪さをとうてい言い尽くせぬ。

こうして物の怪と対峙《たいじ》しているところに、女房たちが近く寄ってきたが、源氏にしてみれば、かかる折には誰にも側に来て欲しくはないというのが本心であった。

男の子が生まれる

そうこうしているうちに、葵上の呻《うめ》き声もやや静まってきた。さては、病苦が少しは小康を得たかと思って、母宮は薬湯《やくとう》を持って来る。

やがて、皆で葵上を抱き起こしていると、まもなく子が生まれた。

一同喜ぶこと限りなかったが、すると、験者の法力によって憑りましの者に憑依《ひょうい》した物の怪どもが、平産であったことを悔しがり、ばたばたと暴れ回るありさまは、ひどく騒がしくて、こんなことでは後産《あとざん》が案ぜられることであった。

かくて、思い付く限りの願立《がんだ》てをして祈り伏せたおかげだろうか、なんとか平らかにお産が果てたので、比叡山《ひえいざん》の座主《ざす》、あの方、この御坊《ごぼう》と、高位の僧侶たちも、今はもう大丈夫とばかり、得意げに顔の汗を押し拭《ぬぐ》いながら、急ぎ退出していった。

多くの人々がみな気を揉んですごしたここ数日の後、緊張も少しとけてこの分ならもう大丈夫かなと源氏は思った。

産後の平安を祈る祈禱などは、またまたぬかりなく再開されたものの、なにぶん生まれた赤ちゃんはかわいいし、珍しい赤子のお世話にばかりかまけて、誰もみな気が緩んだのは是非もない。

桐壺院をはじめとして、親王がた、また上達部等々、各方面から、産後の養生《ようじょう》のための品々が、次々と盛大に運ばれてくる。それはもう上を下への大騒ぎであった。無事お産が済んだというだけでもめでたいところへ、その生まれた子が男君であったということも一段のめでたさゆえ、産後の養生の品々も常になく豪華絢爛《ごうかけんらん》、まことに立派なことであった。

御息所は、左大臣家にて男子平産という一部始終を聞くにつけても、やはり心が穏やかでない。〈相当に重病だという評判であったのに、平産とは……さてもさても〉と、そのことをフッと思ったりもした。思い出してみれば、このところなんだかわけも分からず、自分を失ったような奇怪な心地がしたことがあったし、今ふと気付けば、祈禱の護摩壇《ごまだん》に焚《た》く芥子《けし》の香りが、着衣に染みついてプンプンと匂《にお》っている。これはいったいどういうことだろうと、重湯《おもゆ》で髪を洗ってみたり、衣をすべて着替えてみたりするけれども、この芥子の香《か》はいっこうに去らない。うすうすは気付いていたけれど、まさか、わが魂が葵上のところへ……、そんなことが現実に起こっていたのだと、事実は逃《のが》れ難く突きつけられる。

御息所は、我が身ながら、なんという疎《うと》ましいことだろうと思う。自分でも疎ましいくらいだから、まして、こんなことを人が噂にも立て、またそれを聞いて思うだろうことの疎ましさを考えると、まさか人に打ち明けることもできないし、ただ自らの心一つに秘めてひたすら思い嘆いている。かくして、御息所の心は、ますます錯乱の度を募らせていった。

無事出産が済んだことで、源氏の心にもすこし落ちつきが出てくると、あの言いようもなく気味悪かった生霊《いきすだま》の問わず語りのこともまた憂鬱《ゆううつ》に思い出された。〈御息所のところへは、通うことも途絶えてずいぶん久しいのも気が咎めるし、といってまた通っていって間近で逢うというのも、さてどうであろう、きっとますます嫌になるかもしれぬし、御息所ご自身のためにも、ここは逢いに行かぬほうがお為であろう〉と、あれこれ考え抜いて、ただ手紙を送るだけに留めた。

あれほどひどく病苦に呵《さいな》まれた葵上の予後がいかにも不安なので、左大臣家では、みな油断なく思いやっている。源氏も、そのように案じるのは道理だとおもうから、おのずから外出もせずにいる。そうして、女君の容態は、なお辛そうにしているばかりなので、普段のように対面するということも控えていた。ただ、生まれたばかりの若君は、怨霊などに魅入られそうなほどに美しいので、源氏は、今からもう特別に目をかけて世話をさせている、その様子は並大抵でない。

かくて無事男君も誕生したことだし、なにもかも思いが叶《かな》ったという心地がして、左大臣も、その嬉しいこと筆舌に尽くし難いと思っているのだが、なお、この葵上の病状が、どうしてもすっきりと治らないのだけはいささか気にかかる。とはいえ、あれほどの重病であったのだから、この程度に後を引くのは、やむを得ないだろうというくらいに思えば、そうそう心配ばかりしてもいられないというところであったろう。

源氏、葵上と最後の対話を交わして参内

若君の目元のかわいらしさなど、藤壺の生んだ東宮にそっくりなのを見ても、源氏はまっさきに宮中にいる東宮を思い出さずにはいられない。

とうとう我慢できなくなって、源氏は参内《さんだい》することにした。

「内裏にもあまり長いこと参りませんので、なにかと気になりますから、きょうは思い切って出かけてまいりたいと思います。ついては、御簾越しというようなことでなく、親しくご対面申してお話ししたいと思いますが、……こんなふうによそよそしいままでは、そのお心の隔《へだ》てが、あまりに水臭いと申すものではありますまいか」

源氏はそんなふうに葵上に恨み言を言ってみるが、さっそく取り次ぎの女房が応える。

「まあまあ、そんなふうに、恋人同士でもございませんのに、なにを持って回ったような

ことを仰せになる必要がございましょう。女君はひどく病み窶《やつ》れなさってはおられますけれど、御簾越しのご対面などとは滅相《めっそう》もないことにて……」

と、さっそく葵上の臥している すぐ側に御座《おまし》を用意してくれたので、源氏は几帳などを隔てることなくしみじみと物語をする。葵上は、ぽつりぽつりと返事をするけれど、その様子はたいそう弱々しい。とはいえ、一時は危篤状態で、もう駄目かと思っていたことを思い起こせば、いまのこの平穏な状態はまるで夢のように感じられる。そうして、その瀕死の状態であったときのことなどを葵上に話すついでに、一時絶入《ぜつじゅ》したかと見えた折に、まるで別人のように様変わりして、ぶつぶつとあらぬことを口走ったことなどをも話して聞かせようかと思ったけれど、それこそ思い出すだに嫌な感じがしたので、そこまでは語らない。

「いや、ともかく、お話し申し上げたいことは、このほかにもたくさんございますけれど、拝見すれば、まだたいそうお辛《つら》そうだから、またの折にいたしましょう」

と話を打ち切って、

「さ、まずは薬湯《やくとう》を召されませ」

などと、手ずから甲斐甲斐《かいがい》しく世話を焼くのであった。近侍の女房たちは、源氏さまともあろうお方が、いつこんなことまで見習いなさったのであろうと、それもまた感心の種となった。

もともと葵上は、たいそう美しい人である。それが病み窶《やつ》れて、生死のほどもさだかでないような様子で臥せているのは、ひどく痛々しくて、なんとかしてあげたいと心中に煩悶を覚える。しかし、豊かな黒髪は乱れたところもなく、それがはらはらとかかっている枕のあたり、この世ならぬ美しさである。源氏はそれを見て、〈なんだってまた、私はこの君のどこに不満ばかり抱いていたのだろう。美しい……〉と、我とわが心が怪しまれるくらい、じっと女君の顔を見つめている。

「院の御所などにも参りましてから、できるだけ早々《そうそう》に退出してまいりましょう。日頃から、こんなふうに隔てもなくお目にかかれましたら嬉しいところでございますが、母宮様がいつもお側においでになりますのに、わたくしごときが押しかけてまいりますのは、かえって気の利《き》かぬしわざかと、そんなふうに遠慮してまいりました。それはわたくしとして、いかにも辛いことでございましたものを……。されば、これからまた、だんだんと気を確かにお持ちになるようにして、いつものお部屋にお戻りになるのがよろしゅうございましょう。一つには、こんなふうに、子どもっぽく母君に甘えておられるので、こんな調子が続くのでございましょうからね」

などと、源氏はよくよく教訓しておいて、それから、またさっぱりと新しい装束に着替えて出て行こうとする。その様子を、葵上は、いつにも増してじーっと見つめたまま臥せっていた。

秋恒例の司召《つかさめし》（諸官任命式）があるというので、左大臣も参内し、その子息たちはまた、父の口利きを望むことがあれこれとあるゆえ、その側から離れることなく、皆々引き続き邸を出ていった。

葵上、死す

こうして左大臣邸の内は人気《ひとけ》も少なくひっそりと静まり返っている。

その時、葵上の容態が急変した。

いつものように胸がつまり、七転八倒の苦しみとなった。驚いた側仕《そばづか》えの者たちが、急ぎ内裏へお知らせを、と言いもあえぬうちに、俄《にわか》に息が止まった。

急報を受けた内裏からは、誰も誰も、足を空《そら》にする勢いで退出してくる。せっかくの司召の夜であったが、こうよんどころない事情では、万事不調に終わった、というような按《あん》配《ばい》であった。

邸内は上を下への大騒ぎであったが、しかし、かかる夜中のこと、比叡山の座主《ざす》をはじめとして、かれこれの高僧たちを、すぐに請来《しょうらい》することもなりがたい。ついさきほど、病状が小康を得たので、もう大丈夫かと思ってふと気を許したところだったが、おどろき呆《あき》れるような変事出来《しゅったい》のこととて、邸内の人々みなみな浮き足立って、そこらにぶつかりつまろびつ惑い歩いている。やがて、各方面から弔問《ちょうもん》の使者が引きも切らず来訪するが、いちいち取り次ぐいとまもない。

邸中《やしきじゅう》おろおろと動揺するなかにも、まして父大臣《ちちおとど》はじめ身内の人々の取り乱しかたは、悲しみが極まってなにやら恐ろしいほどであった。

この度の病にあっては、物の怪が祟って意識を失うことも一度や二度ではなかったので、また蘇生《そせい》のことがないとも限らぬと思い、魂のよりどころとしての枕《まくら》も決して動かさぬようにして、二、三日のあいだ、葵上の蘇生を祈ったけれども、時間とともにしだいに死相顕著となり、もはや死は動かし難くなった。かくて、蘇生は望み得ぬ、もうこれまでだと見定めがついたのは、誰にとってもたいそうな悲しみであった。

葵上の火葬

正室葵上の非業《ひごう》の死、しかもそれが自らの愛人の生霊《いきすだま》の祟りとあっては、源氏の懊悩はいちだんと深く、世の中の憂《う》さ辛さが、身にしみわたる。弔問の使いの者が続々と訪れてくるが、そのなかにも、源氏とただならぬ関係にある女君たちからの弔問も混じり、そのたびに源氏は憂鬱の思いを深める。

しかしまた、桐壺院にも、この度の不幸についてはいたくお嘆きと聞き、また恐れ多くも院よりの弔問使まで下されるに及んでは、一面左大臣家の面目晴れがましくもあり、悲しいなかの喜びとでもいうようなことゆえ、左大臣は、かたがた涙が止《とど》めあえぬ。

いろいろと勧める人があって、良いと思われる加持祈禱やら呪術《じゆじゆつ》やら、あらゆることを、しかも盛大に厳《いか》めしく執行《しゆぎよう》しては、万一にも蘇生することがありはせぬかと願ってみたが、何をやっても甲斐とてなく、ついにはなにもかも無駄事となって、目前の亡骸《なきがら》は見る見るむくつけき様相に変わっていった。さすがにこうなっては、なんともかんとも致し方なく、ついに鳥部野《とりべの》に送り果てて荼毘《だび》に付すことに決した。この間のことは、言うもおろかなほど悲しいことばかりであった。

鳥部野の火葬場には、各方面から野辺《のべ》の送りに来た人たちや、寺々の念仏僧など、さしも広い野も埋め尽くすほどの人立ちとなった。桐壺院は申すに及ばず、藤壺の宮、東宮そのほか、あちらからもこちらからも弔問の使者が行き交い、みな口々に、残り多く、また悲しいという弔意を表する。弔問をうける左大臣は、悲しみに立ち上がることもできず、這《は》いずるようにして弔問使を迎えては、

「このようないい歳になって、若く盛りの子に先立たれまして、もうすっかり腰が抜けてしまいました」

と、おのれのふがいなさを恥じては泣くのを、おおぜいの会葬者たちは、悲しい思いで見ている。

殷々《いんいん》たる読経《どきょう》、念仏、加持祈禱などの声々は辺りに響き、夜通し火葬の炎は天を焦《こ》がして、盛大なうえにも盛大な野辺の送りの儀式であったが、あとには、これっぽっちかというほど僅《わず》かの骨ばかりが残った。せめてそのかすかな遺骨を名残として、夜の明ける直

前、暁《あかつき》の闇のなかを一同は帰っていった。

それもこれも、人の死は避けられぬことながら、源氏にとっては、かく目前にその死を見たのは、いままで夕顔《ゆうがお》一人だけであったこととて、このたびの正室逝去に関しては、たぐいもないほどに思い焦がれたのである。

明けて八月二十余日《はづきにじゆうよにち》の朝、空には有明月《ありあけづき》がかかって、その景色もしみじみと感じるところ少なからず、左大臣が「人の親の心は闇にあらねども子を思ふ道にまどひぬるかな」という古歌の心さながら、悲しみの余り心の闇にくれ惑うているのを見ても、源氏は、それも道理だと痛ましい思いにかられ、ただただ、荼毘の煙の立ち上《のぼ》っていった空ばかりを、ぼんやりと眺《なが》めずにはいられない。

のぼりぬる煙《けぶり》はそれとわかねども
なべて雲居《くもゐ》のあはれなるかな

空へ昇っていった煙は、あれが煙、そちらは雲、と区別しては見られないけれど、それだけに、あの雲の居る空一面がなんとなく胸に沁みることよなあ源氏はこんな歌を詠んだ。

左大臣の邸に帰り着いても、源氏はすこしも眠ることができなかった。ただ、この年月の葵上のありさまをあれこれと思い出しては、

〈……それにしても、いずれ自然と見直してくれるだろうと、のんきに思って、なにもかもそのままにしていた。……だから、かりそめの浮気沙汰などにつけても、自分は、さぞひどい男だと思われていただろうな。どうしてまた、平気でそんなふうに思われたまま、放っておいたものだろう……自分ながら不思議でならぬ。ずっと共に過ごした間じゅう、とうとう自分のことを冷淡な、そして気詰まりな男だと、疎ましく思ったまま、あの人は亡くなられてしまった……〉

と、いまさら取り返しもつかぬことを悔やみ悔やみ、それからそれへと、追憶に耽《ふけ》ったけれど、何の甲斐もなかった。

その揚《あ》げ句《く》に、今こうして鈍色《にびいろ》の喪服に身を包んでいること自体、なにやら夢のような心地がしている。

〈もしこれが、自分が先立ったのであったなら、あの人はもっと深い鈍色の喪服を着たこ

とであろう〉と思うにつけても、こんな歌が口をついて出る。

限りあれば薄墨衣《うすずみごろも》 浅《あさ》けれど

涙ぞ袖をふちとなしける

定めというものがあるから、いま自分はこうして浅い墨色の衣を着ているけれど、涙が限りなくでて袖に溜《た》まるから、藤（ふぢ）色の袖を涙の深い淵（ふち）としてしまったのだよ

とこんな口ずさみをしながら、念仏読経をする様子は、しかしどちらかといえば、しみじみとした美しさがまさっている。源氏がお経を静かに誦《ずん》じながら、「法界三昧普賢大士《ほっかいさんまいふげんだいし》」とはっきり唱えるのを聞けば、なにやら勤行に馴れた僧侶たちよりよほどありがたく見える。

あとに残された若君を見るにつけても、源氏の胸中には「結びおきしかたみのこだになかりせば何にしのぶの草を摘《つ》ままし（あなたが編《あ》んで残してくれた筐《かたみ》の籠《こ》……形見《かたみ》の子《こ》……すらなかったとしたら、いったい何によって、忍草《しのぶぐさ》……あなたを偲《しの》ぶよすが……を摘んで入れたらいいのだろうか）」という古歌も思い起こされて、涙また涙であった。そうはいうものの、それではその若君すら残されなかったとしたら、どんなに寂しいことだろうと思うと、せめて、

この若君を残してくれたことを思って、わずかな慰めとする源氏であった。

母宮も涙に沈み、そのまま起き上がることもできないありさま、命さえ危うく見えたほどであったので、左大臣家では、これをまた一大事に思い案じて加持祈禱などをさせることになった。

そうこうしているうちに、あっという間に日数が過ぎていった。

やがて七日ごとの法要などの準備に追われるところとなったが、それもこれも思いもかけぬことで、なにになにつけても悲しみが募った。こうした子どもの死となると、そこらのなんでもない人の場合でも、親の思いはいかばかりであろうと思われるのだから、まして、こたびのようなことは、またひとしおの悲しみなのも道理であった。

母宮にとって、姫君は葵上一人で、ほかに女君とてもなかったことをいつも寂しく思っていたところに、この悲劇で、まさに世に言う「袖の上の珠玉《たま》が砕けたような」悲しみ、いやそれ以上で、ただただ呆然と魂が抜けたようになってしまっていた。

源氏は源氏で、二条の邸にもすこしも帰らず、日々にしみじみと心底《しんてい》よりの嘆きを重ねつつ、ひたすら真面目に、勤行専一《せんいつ》に明かし暮らしている。そのため、あちこちの通い先の女たちに対しては、ただ消息だけを通わせているのであった。

例の、六条御息所は、娘の斎宮が宮中の左衛門《さえもん》の役所内に設けられた物忌みの御殿に入ったので、それに随行して内裏に詰め切っている。そういう所柄《ところがら》を遠慮して、きわめて重い物忌み潔斎《けっさい》だからという理由で、こちらへは手紙さえも書かずにいる。

御息所の生霊の一件でつくづく嫌になってしまった男女《おとこおんな》の仲らいというものも、今では、おしなべて厭《いと》わしい思いにかられ、もしこの若君のような絆《ほだ》しが生まれたりしていなければ、いっそ宿願の出家でもしてしまいたいと、源氏は思わぬでもない。が、そう思うにつけても、あの西の対に住む紫の君が、どんなに寂しい思いで過ごしているだろうと、そちらのほうがまたふと思い出される。

夜は帳台《ちょうだい》の内に入って一人臥《ふ》してはいるけれども、源氏は少しも眠ることができない。宿直《とのい》の女房たちは、源氏の側《そば》に侍《はべ》っているものの、閨《ねや》を共にする人とてもない独り寝ゆえ、いかにも傍《かたわ》らの寂しい感じがする。

「時しもあれ秋やは人の別るべきあるを見るだに恋しきものを（季節もあろうに、秋に人と死別するなんてことがあっていいものだろうか。生きている人に対してだって恋しくてならぬ季節だというのに）」という古歌の心も思い出されて、どうしても浅い眠りはしばしば目覚めずにはおかない。すると、声の良い僧を選んで夜通しの念仏勤行をさせている響きが聞こえてくる真っ暗な暁《あかつき》時分など、その寂しさ辛《つら》さはとても忍び難いものであった。

秋深く、御息所より弔問の文至る

秋も深く、なにもかもあわれさのまさっていく季節、風の音もいちだんと身にしみることだと、源氏は、今さらながらに馴れぬ独り寝に、夜を明かした。

ほんのりと白んできた早朝、辺りには一面霧が立ちこめている。そんな時間に、菊の花の咲きかけた枝に、まるで喪服のような濃い青鈍《あおにび》の紙に書いた文を結んで、さて誰であろう、差し出し人の名も告げず、使いの者が黙って一通の文を置いて去った。折も折、このような気の利いたしこなしの文は、誰からであろうかと思いながら、開いてみると、なんとそれは、六条御息所その人の筆跡に間違いなかった。

「あえてお見舞いなども申し上げずにおりましたわたくしの思いは、お解りいただけますでしょうか。

人の世をあはれときくも露けきに

おくるる袖を思ひこそやれ

人の世は悲しく無常なものと聞くにつけても涙がこぼれますものを、
ましてご最愛の方に先立たれてのお悲しみはいかばかりかと、思いやっております

かかるあわれな秋の空に、わたくしの思いも抑えかねてございますほどに」

と書いてある。〈なんと、ふだんの手より、いっそう念入りに美しく書いたものだ〉と、源氏は、さすがにその手紙をつくづくと眺めていたものの、〈そのお前自身が殺しておいて、そしらぬ顔での弔問とは……〉と、内心うんざりとせずにはいられぬ。

さりとて、このままばったりと手紙をやらなくなってしまうのも気の毒ではある。いや、もしそんなことをすれば、御息所の名に泥を塗るようなことになって、帝のお諭しにも悖《もと》ることだと、源氏は、あれこれ思い悩むのであった。

〈いや、亡くなったあの人は、なにがどうあれ、結局ああなるべき運命であったに違いない。それなのに、御息所が祟るところをありありと目の当《ま》たりにしてしまったのは、どういうわけなのであろう。ああ、あんなことがなかったらよかったのに〉と、源氏はそのことを悔やむ。悔やむけれど、その事実ゆえに御息所のことを疎ましく思ったことを、わが

心ながら、なお思い直すことはできずにいるらしいのだった。

なにぶん斎宮の精進潔斎ということがあるから、なにかと文の通いなども憚りが多いと思って久しく遠慮していたのだが、わざわざ送ってこられた、かかる手紙に、なにも返事を書かなくては、いかにも情知らずのようだと思って、源氏は、服喪中らしく紫色に少し鈍色がかった紙に、

「もうずいぶんとお久しいことになりました。決してあなた様を疎《おろそ》かにお思い申しているわけではございませんが、ただ、服喪中ゆえ、わたくしなどが文をさし上げますことなどご遠慮申し上げるべきかと存じまして、あえて音信《おとずれ》をさし上げませんでした。そんなわたくしの気持ちは、あなた様ならば解ってくださいますでしょう。そう存じまして、

とまる身も消えしもおなじ露の世に
心置くらむほどぞはかなき

現世に止まる身も、消えていく身も、結局はおなじように儚《はかな》い、露のような世の中でございます。それなのに、そんな無常の世に執着を残すのは、なんとしても無意味なことでございます

どうぞ、もうお気持ちをお冷ましくださいますように。穢《けが》れ多き喪中の者よりの文な

ど、ご覧くださらぬはずと、私もご無音《ぶいん》に打ち過ぎおりましたことにて」と、そう書いて返した。

折しも御息所は六条の邸に戻って来ていた。

源氏からの返事をこっそりと読んでみると、「世に執着を残す」だの、「気持ちを冷ませ」だのと書いてある。さては源氏がなにを仄《ほの》めかしているのか、御息所には痛いほどわかるのだった。〈ああ、私の心のなかの鬼……あのことを言っているのにちがいない〉そう思い当たるにつけて、〈そうか、やはりあの時、私の魂が……〉と思うと、いたたまれない辛さである。

〈……やはり、どこまでも限りない我が身のつたなさ情なさよ……。もしこんな噂が広まって、桐壺院さまのお耳に達したら、いったいどんなふうに思し召《おぼめ》すだろう。先の東宮だった亡夫にとっては同腹の兄宮で、……兄弟のなかでもとりわけて亡夫とは睦《むつ》まじく思い交わしておられた桐壺院さま……。亡夫が、いつもこの姫君について、くれぐれもと生《お》い先のことを桐壺院さまにお願いしていたものだった。だから、夫逝去の後は、『その身代わりに、そのまま自分が後ろ楯《うしろだて》としてお世話をしようか』、などといつもいつも仰せになられて、『すぐにも内裏に移り住むがよい』とまで、たびたびお言葉があったのを、自分としては、まさかとんでもないことだと、遠慮し諦《あきら》めて隠れ住んでいたのに、今こうして、思いもかけず年甲斐もない恋に惑うて、ついには良からぬ浮き名をさえ流してしまう結果になるのであろうな……〉と、心は乱れに乱れる。だから、体調もなかなかもとには戻らないのだった。

そうはいうものの、この源氏との一件を除外して一般的に言えば、御息所という人は、よそ目には心憎いまでに風雅なお方という定評で、むしろそういう方面で世間に名高かったのであった。それゆえ、嵯峨野の野宮《ののみや》に斎宮とともに引き移るに際しても、存分に趣向を凝らして、そのしつらいやらなにやら、新しいことをあれこれと考え出しては、殿上《てんじょう》人《びと》どものなかで、とりわけ色好みの男たちなどは、朝夕の露を分けて嵯峨野まで通っていくことを専《もっぱ》らにしているなどという評判が立っていた。それを聞くにつけて、源氏は、〈さもありなん。あの方は風雅のお嗜《たしな》みは飽くまでも深くておいでなのだからな。それなのに、もしこの俗世間に倦《う》みはてて伊勢に下っていってしまわれたら、それはいかにも寂しいかぎりではあるまいかな〉と、そのように思うのであった。

時雨の夕べ、三位中将、源氏と語らう

七日ごとの法事などもつつがなく過ぎ、四十九日の来るまで、源氏はなおじっと喪に服している。この慣れぬ日々の無聊《ぶりよう》を気の毒に思いやって、かつての頭中将《とうのちゅうじょう》、今は昇進して三位《さんみ》の中将となっている、その人が毎日のようにやってきては、男女《おとこおんな》のうわさ話やら、もっとまともな話やら、あるいはお得意の色好みの話やら、あれやこれやと話しては、源氏の心を慰める。その話のなかには、例の、老女源典侍のことも出て、大笑いのばか話、とんだ笑い草にしているように見える。

源氏は、

「おっと、ひどいなあ。ババサマのことを、そのようにかろがろしく申してはいけませんぞ」

などと口では諫《いさ》めながら、いつだって可笑《おか》しいと思っているのであった。話のついでには、あの十六夜《いざよい》の月のおぼろに見えていた夜に、末摘花《すえつむはな》の邸で中将に発見されてしまった一件、あるいは秋になって、末摘花に逢うての後朝《きぬぎぬ》に眠そうな顔をしていると中将に冷や

かされた思い出など、あるいはその他にも、あれこれの色恋話を、お互い気の置けない仲どうしとあって、残る隈《くま》無く語り顕《あらわ》したその揚げ句の果てに、しかし、人の世の無常なることを語りあって、おもわず嗚咽《おえつ》を漏らしなどもするのであった。

時雨《しぐれ》がザザッと降って、なにやらしみじみとした夕暮に、中将が、またやってきた。見れば鈍色の直衣《のうし》に指貫《さしぬき》を着し、それもやや薄い色に衣替えして、たいそう男らしくくっきりとした出で立ちで、それはもう廻《まわ》りにいる者が恥ずかしくなるような様子をしてやってきたのだ。そのとき源氏は、ちょうど西の角の勾欄《こうらん》に体をあずけて、霜枯《しもが》れの植え込みを見るともなく見ていた。

風が荒々しく吹き過ぎ、時雨もさっと音立てて降った時には、涙もその時雨と競うかと思われて、源氏は独り言のように、低く漢詩句をうち誦《ずん》じている。

相逢《あひあ》ひ相失《あひうしな》ふ両《ふたつなが》ら夢《ゆめ》の如《ごと》し、

雨となり雲とやなりにけむ、今は知らず

お前と逢ったのも、またお前を失ったのもいずれも夢のようだ、

亡き人は、あの雨となり、雲となったのであろうか、今は知れぬ

そう詠じつつ源氏はぼんやりと頬杖《ほおづえ》をついている。その様子は、〈もし亡魂《ぼうこん》が女だったら、どうしても見捨てて飛び去ってはいけないで、かならずこの君のあたりに留まるであろうなあ〉と中将は、色めいた心地を持って、じっと見つめないではいられないのだった。

やがて源氏の側にすっと座ると、源氏はゆるゆるとしたくつろいだ風姿《ふうし》はそのままに、ただ直衣の紐《ひも》だけを結《ゆ》いなおして対面する。源氏のほうは、中将のよりはすこし濃い目の鈍色の夏の直衣に、紅《くれない》の艶《あで》やかな袿《うちき》を下に重ね着て、やや姿を窶《やつ》しているのも、その美しさに見飽きない心地がする。中将もまた、しみじみと庭や空の景色を眺めている。

「雨となりしぐるる空の浮雲《うきぐも》を
いづれのかたとわきてながめむ

こうして雨となって、時雨として降ってくる空、その空の浮雲を、
どれがあの葵上の、煙となって昇っていった雲と区別して眺めたらよいのだろうか

とうとう行方知れずになってしまいましたなあ」

と、まるで独り言のように中将は漏らした。

見し人の雨となりにし雲居《くもゐ》さへ
いとど時雨にかきくらすころ

妻としてあいまみえた人が、雲と立ち昇っては雨となって降ってくる、その雲の居る空さえ、いまでは、いよいよ時雨の季節となって、私の心のように真っ暗になってしまった

源氏がこんな歌を詠んで聞かせるその様子からも、葵上への追慕の念が決して浅くはないことが、はっきりと知れるので、中将は、ちょっと不思議に思った。

〈なにやら納得できぬ。妹が生きていたころには、あんなに素《そ》っ気《け》ない様子で、それほど愛情があるようにも見えなかったが……桐壺院さままでが御《おん》自ら懇篤《こんとく》に教訓されたこともあったし、父左大臣だって、源氏のことは限りなく大事にしていたものだったが、それだって考えてみればお気の毒だった。しかも、母宮は院の妹君だから、源氏にとっては血の繋《つな》がった叔母じゃないか。どちらからどう見ても、深い深いご縁というわけだったから、結局、そうそう捨てて省《かえり》みないというわけにもいかなかったんだろう。いつだって気の進まない様子で、いやいや逢いに来ているというふうに見えたものだった。あれでは、あまりにも妹がかわいそうだと見える折々もあったが、……しかし、こうなってみると、

やはりかけがえのない正室として重んずるということにかけては、また格別の思いがあったのであろうな、……それをこうして目《ま》の当たりに見知ってみれば、ああ、妹の死は、ますます残念なことだなあ〉と、中将は思い巡らした。そうして、今となっては、なにもかも光が消えてしまったような心地がして、中将や左大臣一家の気落ちしていることは、甚《はなは》だしいものがある。

源氏、大宮と若君をめぐって歌を贈答す

庭の植え込みには、下草も枯れ枯れと見えるなかに、ただ竜胆《りんどう》や撫子《なでしこ》などの秋草が咲き出てきたのを、源氏は近侍の者に命じて折り取らせると、中将の立ち去った後《あと》に、若君の乳母《めのと》の宰相《さいしょう》の君《きみ》をお使いとして、大宮《おおみや》に消息を差し出した。

「草枯れのまがきに残るなでしこを
別れし秋のかたみとぞ見る

今こうして枯れ枯れとなった草のなかに咲き残った撫子、その花のような子をば、

もう別れ去った秋のようなあの方の形見と思って見ております

大宮さまには、この子をご覧になっても、亡き姫君（葵上）の美しさには劣るようにお感じではございますまいか」

じっさいには、若君の無邪気な笑顔こそ、たいそうかわいらしくて、大宮は、ただ秋風の吹くにつけても悲しみが募り、枯葉が風に散るのにも増してしきりと涙が落ち、源氏の手紙を手に取るだけでも、泣くのをとどめられぬのであった。大宮からは、すぐに返し歌が届けられた。

今も見てなかなか袖を朽《くた》すかな
垣ほ荒れにしやまとなでしこ

こうして今見ても、涙また涙で、かえってわが袖も朽ち果てるばかりです。
この垣のあたりの荒れはてた山里（やまざと）のやまと撫子を見ると……

源氏、朝顔の姫君に消息す

源氏の心には、どうしても癒《いや》し難い欠落感があって何も手に付かない。そこで、そのつれづれをせめて紛《まぎ》らせようと、朝顔《あさがお》の姫に文《ふみ》を遣《つか》わすことを思い立った。きょうのこのしんみりとした気分を、きっと解ってくれるだろうと推し量られる姫の人柄を思い出したからだ。もうとっぷりと日は暮れていたが、敢えて文を書き送った。

朝顔の姫にとっては、源氏からの手紙などはもうずいぶん長いこと絶えていたのだったが、今では、そういうものだと諦めがついているところだったから、お付きの女房たちも、特段に、その絶え間久しきことなど咎める気持ちもなく、すんなりと姫のお目に掛けた。

すると、空色の唐渡《からわた》りの紙に、

「わきてこの暮《くれ》こそ袖は露けけれ
もの思ふ秋はあまたへぬれど

とりわけてこの、この暮こそ、わたくしの袖は涙の露で濡れそぼっています。

今までだって、物思いに沈む秋は幾度も経験してきましたけれど

『いつも時雨は……』……」

『神無月いつも時雨は降りしかどかく袖くたすをりはなかりき（十月《かんなづき》はいつも時雨が降ったものでしたが、このように袖も朽ちるほどに涙に添えて降った折はありませんでした）』という古歌を引きごとに源氏は思いの丈を書き送ったのだった。源氏が心を込めて書いたその筆跡の見事さ、ふつうよりもまた一段と見どころがあって、このまま返歌なしではとうていすまされない。女房たちも、そのように言うし、姫君自身も、おなじ思いがして、

「ご服喪のことは、はるかに思いやり申し上げながら、恐れ多くて、とても文などさし上げられずにおりました」

と書いたあとに、

「秋霧に立ちおくれぬと聞きしより
しぐるる空もいかがとぞ思ふ

秋の霧が立つと聞くころ、御正室さまに立ち後《おく》れてしまわれたと噂を承りました。

それよりして、この時雨模様の空のように、君のお嘆きもいかばかりかと思っております」

と、こんな歌ばかりを、ほんのりとした薄墨で美しく書きなしているのは、姫の手跡《しゆせき》と思うゆえか、なにかしら心憎くおもわれた。

何事につけても、つきあいが深まるほどに見勝りしていくというようなことはあまりないというのが男女の仲とみえるが、最初は冷淡な人のほうが、やがて親しみも深くなろうかというような、魅力的なものを感じる朝顔の君の人柄である。

〈あの君は、日頃はいかにも素っ気ない。しかし、しかるべき折々には、間違いなく趣《おもむき》深い対応をしてくださるな。それでこそ、お互いに情深《なさけぶか》いお付き合いも最後まで続けることができるというものだ。……これが、例の御息所のように、あまりにも格式ばって風雅も度が過ぎ、それが人目に立つほどになれば、過ぎたるは及ばざるが如《ごと》しとでもいうような難も出てこよう。……だから、あの西の対の紫の君だけは、決してあんなふうに育てないように注意しなくてはな〉と源氏は思い続ける。

そう思い寄せるにつけて、紫の君がさぞ所在なく恋しがっているだろうと、片時も忘れることはないのだが、ただ、あれはまだ妻というよりは、女親のいない娘を育てているような心持ちだから、こうして長く逢わぬからといって、それが別段案じられるということもなく、焼きもちなど焼きはすまいかなどと心配をする必要もないのは、源氏にとって、いっそ心安い存在なのであった。

源氏、葵上ゆかりの女房たちと語りあう

すっかり日が暮れてしまうと、油の灯《とも》しを近くに持ってこさせて、葵上ゆかりの女房たちばかりを集《つど》えては、亡き人の思い出話を交々《こもごも》語り合った。

なかにも、中納言《ちゅうなごん》の君《きみ》という女房は、源氏が、この数年来こっそりと契っていた間柄であったが、さすがに、かかる服喪中は、中途半端にそのような色めいたことは思いもかけない。そのことを、中納言の君は、〈源氏さまは、なんてお心優しいのでしょう〉と感心している。

それでも、色事抜きの間柄として、心親しくあれやこれやと語らっている。

「なあ、こんなふうに、このところずっと私はここにいて、お前たちと昼も夜も一緒だ。そうなると、以前とは格別、あの『みなれ木の見慣れそなれて離れなば恋しからむや恋し

からじゃ（磯辺の松のように水馴（みな）れた木……その木のように見慣（みな）れ、磯に慣れていたのに、別れたならば恋しいだろうか、恋しくないことがあるものか）』の歌のように見慣れて過ごしてきたじゃないか。私も間もなくここを去らなくてはなるまいけれど、そうなると、それより後《のち》は、こんなふうに皆と親しく会うこともできがたい。それはさぞ恋しかろうなあと思うのだよ。まあ、あの方と悲しい別れをしたのもさることながら、これから先、この邸との別れやら何やらあれこれ思いめぐらすと、それもまた堪え難いことばかりだね」

源氏がこんなことを言うので、女房たちは、みなこぞって大泣きをする。

「今さらに言っても仕方のない御方《おんかた》のことは、ただ心の闇に呆然とする心地がいたしますけれど、それはもうどうにもなりませぬ。でも、源氏さまが、まったく何の名残もなく、ふっつりとここから立ち去っておしまいになることを思いますと……」

そう言う女房の声は、それから先が涙で続かない。

源氏は、ああかわいそうに、と一同を見渡して、

「名残もなく、なんてことがどうしてあるものか。つまりは、そんなに心の浅い男だと、皆は私のことを思うわけなんだね。この中に、一人でも長い長い先まで私を見ていてくれる人があったなら、私の本心がどんなものか、最後まで見届けてもらえるものをなあ

……。もっともね、命なんてものは無常だ。私だっていつ死ぬとも知れぬから、その本心を最後まで見届けてもらえるとも限らぬことだけれど……」

源氏は、そんなふうに言いながら、揺れる灯《ともしび》をぼうっと見つめている、その目許《めもと》が涙にうるんでいる様子も、えも言われず美しいのであった。

近侍の者たちのなかでも、葵上がとくにかわいがっていた貴君《あてき》という名の、まだ幼い女《め》の童《わらわ》がいるのだが、後ろ楯になるような親もなく、たいそう心細い身の上と見える。源氏は、この子が心細げなのも道理だと思って、

「貴君は、これからは私を頼りにしなくてはいけないようだね」

と優しく声をかけた。貴君は、わっと泣き崩れた。その姿は、小さな衵《あこめ》（下着）の、人よりは濃い鈍色に染めたのを着て、その上に黒い汗衫《かざみ》（正装の上着）、そして萱草色《かんぞういろ》（橙《だいだい》色）に染めた喪服用の袴《はかま》を着けていて、なかなか見どころがある。

それから源氏は、近侍の女房たちに向かっても言葉をかけた。

「よいか、亡き君に仕えた日々を忘れずにいる人は、これから先、物寂しさを忍んでも、どうかあの若君を見捨てることなく、変わらずお仕えしておくれ。ありし日の名残もなく、皆ここを出ていってしまったら、私もここにやってくるよすがが、ますますなくなっ

てしまうのだからね」

源氏は、誰も誰も心長くいつまでもここにいて欲しいということをこんなふうに言い言いしたけれど、女房たちからすれば、〈さあ、それは……女君のいらした時分ですらあの間遠《まどお》なお出ましだったものを、ましていらっしゃらなくなった後《のち》は、さらにさらに間遠になってしまうに決まっている〉と思うにつけて、たいそう心細い思いがするのであった。

左大臣は、女房たちに対して、それぞれの身分にしたがって相応のところを按配しながら、手馴らしていたちょっとした道具やら、またほんとうに葵上の形見になるような手近の品々やらを、形式張らず内々の形で、みなに分け与えるのであった。

源氏が左大臣邸を去る日に……

源氏は、いつまでもこうして無為に過ごしてはいられないので、ある日、桐壺院のもとへ参上することにした。

車を車庫から引き出させて、前駆《さきが》けの者なども集まってくると、ちょうどその時、そぞぎ時を心得ているような時雨が涙雨のように音信《おとず》れ、木の葉を誘う風も忙《せわ》しなくその枯葉を吹き散らしてゆくので、御前《おまえ》に侍っている女房たちは、なんだかもうとても心細くなって、此《この》ごろようやく乾く間もあった袖が、またも涙にしっとりと濡れた。

その夜《よ》さり、源氏は二条の邸に戻って過ごすというので、側仕えの者どもも、そちらに先行してお待ちしますということだろうか、続々と発《た》ってゆく、まさか、今日限りで源氏の入来《じゅらい》が絶えてしまうというわけでもあるまいけれど、それでも、なんともいえず物悲しいことであった。左大臣も、大宮も、この源氏の出立《しゅったつ》のありさまには、また悲しみを新たにするのであった。

やがて、源氏から大宮に一通の消息が届けられた。

「桐壺院さまには、わたくしの身をご案じ下さってお見舞いのお言葉を賜《たまわ》りなどいたしましたゆえ、今日、参上いたします。わたくしは、ついそこまで出かけますにつけても、体が弱ってしまいまして、よくぞ今日まで生き長らえてきたものだと思うくらい、ただただ悲しみに心が乱れるいっぽうでございます。されば、今は、なまじっかに大宮さまの許《もと》に伺ってご挨拶《あいさつ》など申し上げるのさえ、悲しみの種ともなりますから、あえて参上はいたさぬことにして、このままお別れいたします」

などと書いてある。これをみて、大宮は、ますます涙に目もくれ、心も沈み果てて、すぐには返事を書くこともできない。

左大臣、源氏に挨拶す

そのうちに、左大臣のほうから源氏のところへやってきた。左大臣はなんとしても悲しみに堪《た》え難い様子で、ひたすら袖を目にあてて涙を抑えている。それを見ている女房たちも、これにはたいそう悲しい思いがするのであった。

対面する源氏も、世の無常など物思いに耽ることがさまざまあって、つい泣くその様子が、いかにもしんみりとして心のこもった感じがするものの、見たところはまことに姿よくすっきりと美しい。

左大臣は、それから長い時間かけて心を鎮め、ようやくの思いで口を開いた。

「こう歳を重ねてまいりますと、さしたることでなくとも、とかく涙もろくなって困ります。まして、……かようなことに相なりましては、涙も乾く時がございませんように存じましてな、……ただおろおろと惑うばかりのこの心を、どうしても鎮めることができないのでございます。かようなことでは、よそ目にも、たいそうだらしのない、また心の弱い様子に見えることでございましょう。されば桐壺院さまの御前《おまえ》などにも、とうてい参上することができませぬゆえ、……どうか、源氏の君から、なにかのおついでにでも、こういう次第だということをお取りなしくださいまし。いずれ、もう余命もいくばくもございませぬ老いぼれの末路《まつろ》に、こうして子に先立たれるということは、なにより辛いことでございますなあ」

と、一心に気を鎮めながらやっと話している様子は、なんとしてもやるせなく見えた。

源氏もこれにはもらい泣きして、しばしば鼻をかんだりしつつ、

「どちらが先立ち、どちらが後《あと》に残されるか、それはいかにも定めないことにて、憂き世の常と存じてはおりますものの、差し当たって我が身のこととして感じます心の惑い、悲しみは、比類もなきことでございます。桐壺院さまにも、ことのありさまを申し上げますから、お気持ちのほどはきっとお解りいただけましょう」

など答える。

「さらば、時雨もこの分では止《や》む隙《ひま》とてもございますまい。あまり暮れ果てぬうちに」

と左大臣は、声を励《はげ》まして源氏に出立《しゅったつ》を勧めるのであった。

ざっと見回してみると、几帳の後ろ、障子《そうじ》の向こう側などの開け放されたところどころに、女房が三十人ばかりも押しあうように座っていて、みな濃いの薄いのとりどりに鈍色の喪服を着て、たいそう心細げな様子で、ひたすら涙に暮れているのを、源氏は、しみじみとした思いで見ている。

左大臣が、また言葉をかける。

「決してお見捨てになることのない若君もこちらに留まっておりますうえからは、こうしてお別れいたしましても、またなにかのついでに、お立ち寄りくださらぬはずがないと、せめて自らを慰めております。が、分別のない女房などは、今日を限りに源氏さまがこの邸を見捨てておしまいになるのだと、ひたすらに塞《ふさ》ぎ込んでいるようでございます。いや、あの者たちは、亡き人との永《なが》の別れの悲しみよりも、むしろ、折々に源氏さまと馴れ親しんだその年月《としつき》が、これでもう名残もなく終わってしまうことのほうを嘆いているようでございますが、まあそれも道理かもしれませぬな。……さてさて、源氏さまには、わが家にてごゆるりと打ち解けてお過ごし頂くときとてございませんでしたが、それでも、いつかはきっと心を許してくださるだろうと、わけもない期待を女房どもにさせてしまいました。されば、今日という今日、あの者たちには、いかにも心細い夕べとなってしまったことでございましょう……」

これだけ言うと、左大臣はまた泣いた。

「それはたいそう考えの浅い女房どもの嘆きでございます。まことに、今はどうであろうとも、いずれはわたくしの気持ちも解ってもらえるものと、そのことを頼みにして、のんびり構えておりました。その間《あいだ》は、しぜんと女君にお目にかかる機会の遠のく折もございましたが、いまこうして永のお別れとなってみれば、この先、なにを頼みにして、のんきにご無沙汰などすることができましょうや。わたくしの真摯《しんし》な気持ちは、いずれお解りいただけましょう」

そんな言葉を最後に、源氏が邸を出て行くのを、左大臣はずっと見送っていた。

最後の最後まで車を見送ったあと、左大臣は、源氏の居た部屋に入ってみた。すると、室内の調度《ちょうど》をはじめとして、なにもかも源氏の居た時分に変わることはなかったが、蟬《せみ》の抜け殻のように、どこか空《むな》しい感じがするのであった。

源氏の去った空しい邸で

帳台の前に硯《すずり》などがうち散らしてある。そこに、源氏が手習いに書き捨てた反故《ほご》が残っているのを取り上げて、左大臣はまた涙にくれながら見ている。若い女房たちは、悲しいなかにも、こんな左大臣の様子をほほ笑ましく眺めている者もあった。その反故には、和歌を書いたものあり、漢詩を書いたものあり、さまざまであったが、あるものは草仮名《そうがな》、あるものは楷書《かいしょ》と、とりどり珍しい書体にかき分けてあった。

「ああ、見事なご筆跡だ」

左大臣は、空を仰《あお》ぐようにして感嘆している。これほど素晴らしい君を、自分の婿《むこ》としてでなく、これからは赤の他人として見なくてはいけないのが、惜《お》しまれてならないのであろう。

「旧《ふる》き枕故《ふる》き衾《ふすま》、誰《たれ》と共にか」と白楽天《はくらくてん》の『長恨歌《ちょうごんか》』の一ふしを書いた脇に、

なき魂《たま》ぞいとど悲しき寝《ね》し床《とこ》の

あくがれがたき心ならひに

亡き人の魂も、きっとここを離れ難く思っていることであろう。

こんなにも悲しい共寝の床のあたりを、私も離れ難く思っているのだから

という歌が添えてある。また、同じく『長恨歌』の一句「霜花《ノ》重《シ》」をもじって「霜《しも》の花白し」と書きつけてある所には、

君なくて塵《ちり》つもりぬるとこなつの
露うち払ひいく夜寝ぬらむ

あなたがいなくなって、すっかり塵が積もってしまった床（とこ）、その常夏（とこなつ）の花に置いた露を、わが涙を、うち払いうち払い、私は独りで幾夜寝たことであろう

という歌が添えてあった。

傍らには、いつぞや撫子《なでしこ》や竜胆《りんどう》などの花に歌を添えて大宮に贈ったときの名残なのであろう、枯れた草花が、反故のなかに混じっている。

左大臣は、大宮にこの反故どもを見せつつ、

「いまさら嘆いても甲斐のないことはそれとしても、実の娘に先立たれるというような悲しみは、また世に類例のないことでもないと、強いて思ってもみるのだけれどね、しかし、あの子との、この世での縁《えにし》はほんとうに短くて、あれはきっとこうやって親を悲しませるために生まれてきたんであろうなあと思うと、親子の縁を得たことが却《かえ》って辛いよ。せめて、それもこれも前世からの因縁であったのだろうと思うことにして、すこしでも悲しみを冷まそうとするけれど、いやいや、日数が経《た》つほど、あの子への恋しさの堪え難きこと、ああ、それにこの源氏の君の、もう今は赤の他人になってしまわれようとしている、そのこともまた、尽きせず悲しい思いがするのだよ。そうじゃないか……以前、一日二日とお見えがなくて、やがてまれまれにしかおいで下さらなくなったのだけでも、あんなに飽き足らず胸の痛む思いがしたものだったろう、なあ。なのに、これからはもうお出《い》ではないのだと思うと、朝夕の光を失ってしまった心地がする。かくなるうえは、どうして生き長らえていることができるだろうか……」

と、もう声を忍ばせることもなく号泣するのであった。

その様子を見ていた年配の女房などは、ただもう悲しくて、わっと声を上げて泣き崩れる。それはもう、ずいぶん心の寒々として感じられる夕べのありさまであった。

若い女房たちは、あちこちに群れて座りながら、仲間同士で、あれこれと心に沁《し》みることを語り合っている。

「左大臣さまのおっしゃるとおり、形見の若君のお世話をしてこそ、心の慰めになるような気もするけれど、でも、幼なすぎて頼りないお形見だことね」

などと言う者もある。かくて、おのおの、

「ちょっとだけ里に下がりまして、また参ります」

と言って退出していく者もあるので、互いに別れを惜しんでは、一人一人心に沁みることばかり多かった。

桐壺院の御所に源氏参上

桐壺院の御所に、源氏が参上すると、

「おお、ずいぶん面瘦《おもや》せしてしまったね。お精進で日数を重ねたのか」

と、院は、源氏をご覧になって労《いたわ》しく思し召し、御前《ごぜん》にご馳走《ちそう》を運ばせて、なにやかやとお心遣いくださるさまは、しみじみとありがたくもったいなく思われた。

藤壺の宮のところへ参上すると、お付きの女房たちは、珍しがって源氏を見ている。やがて藤壺の宮から、命婦《みようぶ》の君《きみ》を通じてお言葉があった。

「このたびのご不幸には、さぞ悲しみも尽きせぬことだったと思いますが、日数が経つにつけても、どんなにかお辛いことでしょう」

源氏は、さっそくお返事を申し上げる。

「世の無常なることは、おおかたのところは承知しておりましたが、いざ目《ま》の当たりにいたしますと、この世を厭《いと》わしく思うことが数々ございます。そのためわたくしは心も惑うばかりでございますが、宮さまから頂戴《ちようだい》いたしましたたびたびのご消息に胸が癒されまして、かろうじて今日まで生き長らえておりました」

その源氏の様子は、こんな不幸にひしがれているときでなくても、ただされ許されぬ恋に伏し沈んでいることが多かったのに、こたびはまた不幸をさえとり添えて、いかにも痛々しく見える。

無紋の袍《ほう》（上着）の下には、鈍色の下襲《したがさね》（下着）という喪服姿で、しかも冠《かんむり》の纓《えい》を巻き上げて服喪の意を表わしている窶《やつ》れ姿は、華やかな礼装などよりも、かえってなまなましい美しさがまさって見える。源氏は、東宮にも久しく参上しないことの気がかりさなどを言上しつつ、夜更けてから院の御所を退出してきた。

源氏、二条院に帰って紫の君と語る

二条の邸では、ほうぼう掃《は》いたり拭《ぬぐ》ったりして、男も女もこぞって源氏の帰りを待ち焦がれていた。上席の女房どもは、源氏の留守中、里下がりをしていたのだが、いまはみな戻ってきて、我も我もと装束を改め、しっくりと化粧をして出迎える。この浮き立つような様子を見るにつけて、源氏は、今出てきた左大臣の邸での、みな居並んで鬱々《うつうつ》としていたことを哀れに思い出した。

源氏自身も装束を普段着に改めて、西の対に渡っていった。すると、折しも衣替えの時節とて、室内の調度などもすっかり冬物に改まって、いまはもう喪中の鬱陶《うっとう》しいそれではなくなったので、なにやら明るくさっぱりとした感じに見える。そこに暮らしている姿のよい若女房や女の童も、姿形をきちんと整えて待っていた、そのいっさいを差配しているのは紫の君の乳母の少納言《しょうなごん》の君《きみ》であるが、この者の差配の見事さは、どこからどこまで行き届いて、まことに心にくいばかりであった。

紫の君は、たいそうかわいらしくお洒落をしてとりすましている。

「ずいぶん逢わないでいるうちに、すっかり大人っぽくなったね」

といいざま、源氏は、そのまだ小さな几帳の垂れ絹を引き上げてじっと見つめると、恥ずかしいのであろう、紫の君はつと横を向いてしまっている。そのさまは、どこといって不満足なところもない。

ゆらゆらする灯影《ほかげ》に浮かぶ横顔、それから頭《かしら》つきなど、どこからどこまで、あのいつも心に苦しく恋慕している藤壺の宮に瓜《うり》二つ、それがますます生き写しになっていくなあ、と源氏は見ている。そしてそのことがとても嬉しく思われるのだった。

そっと近寄っていくと、源氏は、服喪のため長々と逢えずにいた日々の気がかりでならなかった思いなどを、懇《ねんご》ろに女君の耳元でささやいた。

「この日頃の出来事のあれこれを、のんびりとお話ししてあげたいけれど、なんといっても葬礼やら服喪やら縁起でもないことに繋がれていたのでね。いまからちょっと他のところで一休みして、それからまた参りましょう。これからはもう左大臣のところに行かなくてもいいので、ずっとここでそなたに逢うことができる。いやいや、そうなるとあまりいつも側にいるので、鬱陶しいなあとお思いになるかもしれないよ、ははは」

と、心細やかに語りかける。それを聞けば、少納言は嬉しくてならぬ。が、嬉しいは嬉しいものの、それでもどこか不安は残るのであった。

〈源氏さまともなると、高貴な方のあちらこちらにお通いでしょうから、今はこうして左大臣家とのご縁も切れてお戻りになったけれど、いつまた別のお姫さまとのご縁組が出来ぬとも限らないわけだし……〉

少納言は、内心そう思っている。さてもさても、この女房、ちょっと憎たらしいほどの気の回しようではあるまいか。

かくこしらえ置いて、源氏は東の対の自分の部屋に戻ると、側仕《そばづか》えの中将《ちゅうじょう》の君《きみ》という女房に、足などを呑気《のんき》にさすらせたりして、やがて寝所《しんじょ》に入った。

翌朝、源氏は、若君の住む左大臣邸へ、文を遣わした。やがて返事が届けられたのを読んでみれば、ただただ尽きせず悲しいことばかりであった。

こうして源氏は、たいそう所在なげに物思いに伏《ふ》し沈む日々となり、結果的に、あちらこちらかりそめの女の許へ通うのもなんだか億劫《おっくう》になってしまって、ついぞそんなことを思い立ちもしなかった。

源氏、紫の君と妹背《いもせ》の契りを結ぶ

さて、紫の君は、いまではもうなにもかも理想的な姿に成長して、たいそう美しい「おんな」の体つきに見える。

〈よしよし、こうなれば、もうそろそろ男と女の契りを結ぶことも似合わぬという感じではないな〉と見做《みな》して、源氏は、折々につけてその男と女がどういうことをするのかというようなことなど、小出しに話して聞かせるけれど、どうやら姫君は、そっちのほうは丸っきり知らないらしい。

参内もせず、通いごともせず、源氏は所在ない日々のなかで、ただこの西の対へやって来ては、紫の君を相手に碁を打ったり、漢字の当てっこをして遊んだりしながら、何日も過ぎていった。

そうやって身近に見れば見るほど、この姫は心ざまがまことに聡明《そうめい》な上に、もうその態度にも女らしい愛嬌《あいきよう》が出てきて、さりげない遊びのなかにも、いかにもかわいらしい仕草《しぐさ》などをして見せるので、源氏は急に姫を女として意識するようになった。思えば、この数年、とくに女としては見てこなかった年月《としつき》というもの、ただただ労ってやりたいかわいらしさは感じたものの、それ以上のことは考えたことがなかったのであった。
けれども今という今、源氏はもう我慢ができなくなった。ちょっとかわいそうな気もしたのだが……。

さてどういうことがあったのであろうか、毎日のように床を共にして、よそ目にはもうずっと夫婦同然のような生活にみえたのだが、ある朝……。

男君が早く起き出してきたのに、女君は、いつまでも寝床から出てこない、そういう朝《あした》があった。女房たちは、訝《いぶか》しがって、

「さてさて、どうしたわけでこんなに寝坊をしておられるのでしょう」

「もしや、ご気分でもお悪くていらっしゃるのかもしれないわ」

と、そんなふうに見てはぼやいている。

源氏はこの朝、東《ひがし》の対《たい》に帰るその帰るさに、硯箱を紫の君が臥せっている帳台のうちに、そっと差し入れてから立ち去っていったのであった。

女君は、側に人気《ひとけ》の絶えた折を見計らって頭を持ち上げて見れば、引き結んだ文が枕元

にそっと置いてあった。何心もなく、これをさっと開いて見ると、一首の歌が書いてある。

あやなくも隔てけるかな夜をかさね
さすがに馴《な》れし夜の衣《ころも》を

考えてみると納得できぬことであったな、あんなに毎夜同じ夜の衣を重ねて寝馴れていたのに、いつも隔てを置いていたなんて

こんな歌がさらさらっと書き流してある風情であった。

姫君は、まさか源氏さまが、あんなひどいことをする心を持っているなど、まったく思いも寄らなかったことなので、〈どうして……どうして、あんな嫌らしいことをするようなお心の人を、私は疑いもせず、頼もしく思っていたのでしょう、ああいやいや、呆れたわ〉と姫は思っている。

やがて昼になる頃、源氏は再び西の対に戻ってきた。

「なんだか加減が悪いそうだね。いったいどうしたっていうのかな。そんな調子じゃ、きょうは碁も打てそうにないし、つまらないな」

などと言いながら床を覗いた。姫君は、恥ずかしさも恥ずかしいし、こんなふうに平気な顔をしている源氏にますます憤慨《ふんがい》するしで、頭から衣を引きかぶって寝たまま何も答えない。女房たちは、あえて姫君からは遠いところに退《しりぞ》いている。そこで、源氏は姫君の側に寄ってくると、また話しかけた。

「さてさて、どうしてこんなに無愛想な応対なのですか。思いもかけぬ冷淡な人柄だったのでしょうか。さ、こんなことばかりしていては、あの女房たちだって変に思いますよ」

と言いざま、源氏は、姫君が被《かぶ》っていた衣を引きのけた。すると、姫君は全身汗みずくになって、額髪も汗でびっしょりと濡れている。

「おやおや、こまった、これは。こう大汗をかいているというのは、不吉なことだからね」

などと言って、源氏はなんとか姫君の気を引き立てようとするけれど、姫君のほうでは、もう心底から源氏のしたことをひどいと思っているので、一言も口を利かないのであった。

「あーあ、よしよし。それならね、もう決して逢いには来ないことにしよう。私のほうが恥ずかしくて合わせる顔もないことだし……」

と、源氏はそんなふうに拗《す》ねたふりをしつつ、しかし、もしかして、さっき置いておいた結び文の歌への返歌でも書いてあるかもしれないと、硯箱を開けてみるけれど、そこには何もなかった。

〈やれやれ、幼いことだな、これは〉と、源氏はまた姫をかわいらしい者と思い直して、その日一日じゅう、帳台の中に入っては、宥《なだ》めたり賺《すか》したり言葉を尽くしてみたけれど、紫の君の頑《かたく》なな態度は、いっこうにほどける様子もない。その思い詰めたようなありさまを見るにつけても、源氏は、この人を労ってやりたいという気持ちになるのであった。

源氏、三日夜《みかよ》の餅を祝う

その夜。折しも十月《かんなづき》亥の日に当たって、亥《い》の子餅《こもち》の祝いの日だったので、姫のために用意させた。もっとも、源氏自身がこんな喪中の身ゆえ、祝い事は大げさにはせず、この姫君のところにだけ用意させたのである。ところが、持ってきたのを見ると、ちょっとすてきな檜《ひのき》の折箱に入れて、七色に染めた餅をきれいに詰め合わせてある。源氏は、これを南側の明るいところへ持って出て、惟光を呼んだ。

「この餅だが、こうあれこれと、ぎっしり詰め合わせてはいかんね。ちょっと賑々《にぎにぎ》し過ぎる。よし、これはもう下げさせて、明日の暮れに、白い餅一色《ひといろ》を用意させることにしよう。今日はな、ちょっと日柄が悪くて、なにかとさしさわりのある日なんだ」

こう言うと源氏は、意味あり気にニヤッと笑った。

惟光は、こういうことには極めて気の回る男なので、〈……あ、そうか。明日の暮れ、となると三日夜《みかよ》の愛敬餅《あいぎようもち》にせよ、というわけだな、さては昨夜、源氏の君は姫君と……ふふ〉と合点《がてん》して、委細は承知とばかり、こう囁《ささや》き返した。

「なるほどさようでございますな。めでたいお睦《むつ》みごとの始めはお日柄を選びますことにて……。では、亥子餅ならぬ、翌日子《ね》の日の子《ね》の子《こ》餅は、いくつ用意いたさせましょうか」

と変に真面目らしく言う。源氏も、真面目顔で、

「そうさな、私が三つ、姫が一つ、そんなところかな」

と答える。惟光は、合点承知、という顔つきをして立っていった。

〈やれやれ、こういうことになると、惟光はなんといっても物慣れしていて頼りになるな〉

と源氏は思った。惟光は、いっさい人には言わず、極秘裏に、手ずから作らんばかりに差配して、自分の家でその餅を作らせた。

源氏は、また姫の床《とこ》の辺《べ》にやってきて、あれこれと言葉を尽くすけれど、どうやっても姫君のご機嫌が直らないので、弱り果てている。〈まるでこれでは、今日はじめてどこかから盗み出してきた人のような感じがするじゃないか〉と、なんだか自分ながら可笑しくなった。

それでも、〈いままで、この君をかわいいかわいいと思って過ごしてきたけれど、今こうして男女《おとこおんな》の契りを結んでみれば、そうなる以前の愛しさは物の数ではなかったな。こんなふうにどんどん気持ちが募っていくとは、人の心ほど変わりやすいものはない。今となっては、もう一夜だって一つ床に寝ずに過ごすことは辛くてたまらない心地がすることだなあ〉と、源氏は思っている。

そこへ、……申し付けてあった愛敬の餅を、もうすっかり夜が更けた時分に、惟光が、こっそりと持ってやってきた。が、これを少納言の君のような訳知りの大人を介して差し入れたのでは、女房衆になにもかも知られてしまう。それは、傷ついている紫の君にも、また喪中に新枕《にいまくら》を強行した源氏自身にとっても、恥ずかしいことに違いないと、惟光はそこまでちゃんと気を利かせる。そこで惟光は、少納言の君の娘の弁《べん》というウブで若い女房を密《みそ》かに呼んだ。弁は紫の君の乳母子《めのとご》だから、同い年で、気心のしれた側近といったところなのだった。

「これをな、そーっと姫君に差し上げなされよ」

そういって、惟光は、香壺《こうご》を収める箱を一つ差し入れた。

「これは、姫君の枕元に差し上げるべき、お祝いの品でござる。ああ、恐れ多い恐れ多い、どうかゆめゆめ疎略《あだ》にはなされまいぞ」

と真剣な声で言う。弁は、この男は何を言ってるんだと、ちょっと憤慨しながら、

「浮気《あだ》なことなど、いまだかつて考えたこともございませぬが」

と言いながら、餅の箱を受け取った。惟光は面食らいながら、

「いや、まことに、今はその浮気《あだ》などという言葉は忌むべきところですぞ。万一にも、さような言葉を使うようなことにはなりますまいけれど」

と言い返す。

弁は、まだ純真な少女で、男と女をめぐっての事情など深くも思い寄らないので、その

餅の意味も深く考えずに姫君のところへ持ってまいり、姫君の枕元のあたりへ几帳ごしに差し入れた。

中では、源氏が、この餅こそは結婚をして三日目の祝いとして共に食べるものだとか、あれこれ講釈をして教え諭しているにちがいない。

一夜が明けた。

女房たちは、この間の事情を何も知らずにいたが、朝になっていきなり餅の箱が帳台のなかから下げられてきたのを見て、ごく近侍の者たちだけは、〈ははーん、さては……〉と思い合わせることがあった。それにしても、餅を載せる皿そのほか、あれこれの道具を、惟光はいったいいつの間に調《ととの》えたのであろうか、その皿を載せる花飾りのついた台なども、たいそうきれいだし、餅の形も、いかにも手の込んだ作りにしてあって、どれもこれも見事な調製ぶりであった。

少納言の君は、まさか源氏がここまで手の込んだ祝いをしてくれるとも思っていなかったので、これにはしみじみとかたじけなく感じ入り、どこまでもくまなき源氏の心遣いに、まずは涙が先に立つのであった。

「さてもさても、かかることは、わたくしどもに内々《ないない》ご下命くだされればよかったものを、源氏さまも手の込んだことをなさる」

「あの惟光どのだって、どんなふうに思われたことでしょうかしら、ねえ」

と、女房たちは囁《ささや》きあった。

かくて紫の君は、実質的に源氏の妻となった。そこで、この後は紫上《むらさきのうえ》と呼ぶことにする。

こうなって後、内裏や桐壺院の御所に、ほんの短い時間参上している間すら、紫上への恋しさで胸が騒ぎ、源氏は、ただその面影《おもかげ》ばかりを思い浮かべている。自分ながら理解の外《ほか》なる心だと思うのであった。ましてや、あちこちの通い所の女君たちからは、源氏の訪れなきことを恨む手紙などが突然にやってきたりするので、それらの中には、まあ気の毒だと思う女もあるにはあるのだが、ただ、新枕を交わした紫上のことを思うと、ひたすらかわいそうな気がして、源氏の心中には密《ひそ》かに、「若草の新手枕《にひたまくら》をまきそめて夜《よ》をや隔てむ憎からなくに（若草のように初々しいそなたの、新しい手枕を枕《ま》き初めて以来は、なんとして逢わずに夜を過ごせよう、憎いなんて思いはこれっぽっちもないのだから）」という古歌の心などが思い浮かんでくる。それゆえ、紫上を置いて他の女のところへ通うなど、なんとしても気が向かない。そこで、あちこちから到来する恨みの文に対して、源氏は、ただひたすら体調がすぐれないということにして、

「身辺の不幸などあって、世の中をすっかり憂きものに思って過ごしております。せめてこの辛い日々が過ぎましてから、お目にかかるべきかと存じまして」

などと通り一遍に返事を書いて過ごしていた。

さて、かつて朧月夜《おぼろづきよ》と呼んだ女君（弘徽殿大后の妹）は、今は昇進して御匣殿《みくしげどの》（宮中の衣服調製所の長）に任じられている。

この御匣殿が、あれ以来いまだに源氏にばかり思いを寄せているのを知って、父右大臣は言う。

「ほんとうになあ、あの位高きご正室も亡くなられたようだし、うちの御匣殿がその後釜《あとがま》に座っても、何の不足もあるまいがのう」

こんなことを父が言うのを聞けば、弘徽殿大后《こきでんのおおきさき》は、ますます源氏が憎たらしくてしかたない。

「なにも源氏などの世話にならずとも、この御匣殿のお役目をきちんとお務めするだけで、どうして不足がありましょうか」

こんなことを言うのは、弘徽殿には、妹を東宮妃として入内《じゅだい》させようという腹積《はらづ》もりがあって、密かに、熱心に裏工作をしていたからなのであった。

源氏も、じつはこの御匣殿には、並々でない執心もあったゆえ、このまま切れてしまうのも残念だとは思っていた。しかし、こうなってみると、今はもう紫上よりほかの女に心を分けるという気持ちも起こらない。

〈こんなに儚《はかな》く定めない現世《うつしよ》に、浮いた恋などして何になろう。今はもうこの紫上一人に心を定めよう。うかうかと色好みのわざをして人の怨《うら》みを買わぬようにせねばならぬし……〉

源氏は、かの御息所の一件などを思い寄せては、ああいうことは危ない危ない、とすっかり懲《こ》りてしまっているのであった。

その御息所については、たいそう労《いたわ》しいことだとは思うものの、しかし、〈あのような人をまことの妻として頼りにするとなったら、かならずやうまくいかないことがあるだろう〉と、源氏は思う。だから、正室に直すのなんのということではなくて、今までのように、一人の恋人として大目に見ていてくれるならば、なにか自分として困ったことが起きたなどという時の相談相手としては、きっと悪くないだろうなと思う。源氏は、あんなことがあっても、やはりこの御息所と完全には切れてしまおうとは思わないのであった。

さて、この紫上については、今まで世間でもこの姫君の出自などについて誰も知らないのであったが、そんな状態にしておいては、いかにも軽々しい女のように見えてしまうというので、まずは父宮の兵部卿《ひょうぶきょう》の宮《みや》に知らせようと、源氏は考え直した。そうして、成人を祝う御裳着《おんもぎ》の儀のことなど、人々に広く披露したというわけでもなかったが、並々ならぬ立派な形で上げてやろうというように思って周到に準備を進めている、そういうところは、まことに世にも稀《まれ》なる心遣いではあったが、しかし、紫上自身は、いまだに先夜の新枕以来、源氏をすっかり嫌っていて、〈もう何年も、あんなひどいことをする源氏さまを頼りにして、いつだってお側にまつわりついていたなんて、我ながら呆れ返った浅はかさだったわ〉と、ただただ悔しいばかりで、源氏がそこにいても目も合わさないという状態が続いている。

源氏が、紫上の気を引こうとなにかと可笑しい戯《たわむ》れなどを言ったりしても、そんなこともまた、嫌らしい、訳の分からないことを言うものだと思って、一向に心の解ける時がない。そんなふうにすっかり以前とは変わってしまった女君の様子を見て、源氏は、可笑しくもあり、またかわいそうにも思う。

「もう何年も、そなたを愛しく思ってきた私の心を解ってもらえず、いつまでたっても打ち解けてくれないその態度が、私はほんとに心が痛むよ」

など、怨みごとを言ったりしているうちに、年が明けた。

源氏、新年の参賀のついでに左大臣邸訪問

正月元旦。源氏は、恒例に従って、桐壺院の御所に参上し、また内裏や東宮などにも参り、そのあと、左大臣邸にも挨拶《あいさつ》に訪れた。

左大臣は新年早々だというのに、口を衝《つ》いて出るのは亡き人のことばかりで、生きている張り合いもなく、ただただ悲しいと思っているところへ、また、悲しみを思い出させる源氏がやって来たにつけて、いかに堪《こら》えても堪えても、どうしても堪え切れない思いがするのであった。

今見る源氏は、また一つ年を加えたせいか、堂々たる風格のようなものまで添うて、以前よりも、更に更に汚れなき美しさに見えた。

左大臣のもとを立ち出でて、もと葵上と暮らした部屋に入ってみると、女房たちも、このめずらしい源氏のご入来《じゅらい》に、もはやどうしても涙を我慢することができなくなった。

若君は、はやずいぶんと大きくなって、なにも知らずニコニコしているのも不憫《ふびん》に思われた。その目《ま》ざしも口元の様子も、ただ東宮とそっくりで、こんなに似ていては万一にも人が見咎めはしないかと、源氏は心配に思いもする。

部屋のしつらいもなにも変わらず、源氏の新しい装束なども、以前と同じように衣桁《いこう》に掛けてある。にもかかわらず、そこに並んでいるべき女君の装束が無いことが、なんとしても見映えがせず、物足りない思いがするのであった。

母大宮からは、手紙が届けられた。

「今日は、元旦早々ゆえ、堪《こら》えに堪えているのですが、こんなふうにお運びくださると、かえって悲しみが募りまして……」

などとあって、その先に、

「昔と同じようにと思ってお調《ととの》え申しましたお召し物ながら、この日頃はともかく涙で目がかすみまして仕立てもよろしからず、さぞ色合い悪《わろ》き装束とご覧になられるだろうとは存じましたが、せめて、今日だけは、そのような不出来なものに袖をお通しくださいますように」

と書かれてある。実際には、大層心を尽くして仕立てられた装束なども、衣桁の衣のほかにも重ね重ね届けられていた。そのようななかに、必ず今日の晴れの日に源氏に着してもらいたいと思って作った下襲《したがさね》(束帯の時の下に着る長く裾を引いた衣)は、その色も、織りようも、世に並びない素晴らしさであった。

源氏は、大宮の真心を決して無にはできぬと思って、さっそくその新調の衣に着替えた。そして、もし今日ここに来なかったら、どんなにか大宮が残念がられたことだろうと、その心中を労《いたわ》しく思いやった。そこで、その装束への返礼に、

「ああ、春がやってきたのか、と、まずはご覧いただきたいと思って、ここに参上いたしましたが、いざ参りますと、つぎつぎと思い出されることのみ多くて、なにも申し上げられなくなりました。

あまた年今日《けふ》あらためし色ごろも

きては涙ぞふるここちする

もうずっと何年と年を重ねて、新年の今日、ここで着替えてまいりました色美しい衣を、いまこうして来て、着てみますと涙の降るばかりの心地がいたしまして、昔の古（ふる）ごとのみ思い出されます

とても平穏な気持ちにはなれませぬことにて……」
と書いて贈った。大宮からの返り事にはこうあった。
「新しき年ともいはずふるものは
ふりぬる人の涙なりけり
新しい年だというのに、旧《ふる》い年同様降るものは、この古（ふる）びた老い人の涙ばかりでございます」
思えば、かかる悲しみは、誰の心にも、なまなかなことではございますまいものを。

賢^{さかき}木

源氏二十三歳から二十五歳まで

六条御息所、斎宮に付き添って伊勢へ

斎宮《さいぐう》の伊勢下向《いせげこう》が近づいてくるにしたがって、六条御息所《ろくじようのみやすんどころ》は次第に心細い思いに駆《か》られるようになった。

あの位高く気煩《きわずら》いのたねのように感じていた源氏の正室、左大臣家《さだいじんけ》の葵上《あおいのうえ》も亡くなって後、つぎは身分などから見て御息所が源氏の正室になるのではないかと、世間では取り沙汰《ざた》していたし、また六条の邸《やしき》うちの人々もそうなるのではないかと胸をときめかせていたのだが、実際には、葵上逝去の後、ぱったりと源氏は来なくなってしまった。このあまりにも冷淡な持て扱いを見れば、よほど源氏の心に辟易《へきえき》するようなことがあったのだろうと、御息所は、じつはよく分かっていたのだった。だから、この際、なにもかも未練な心を断ち切って、ともかく伊勢へ下ってしまおうと、そればかり考えている。

伊勢の斎宮の下向に実の親が付き添うなどということは、これといって前例が見当たらないとはいえ、まだ幼さの残る斎宮を見放して一人伊勢に送るというのも忍び難いという口実を設けて、源氏との恋の辛《つら》さからすっぱりと身を引こうと、御息所は思っているのだ

った。が、源氏は、それでも、今は……、と思い切って御息所が遠く離れたところへ行ってしまうのもなにやら残念に思うゆえ、手紙ばかりは、しみじみと心をこめた筆致で、たびたび通わせてくる。

しかし、実際に対面するなどは、今さらもうあるまじきことだと、さすがの御息所も思っている。いや、本心を言えば、自分としては逢《あ》いたくないわけではもちろんない。けれども源氏のほうで、自分を疎《うと》ましく思って心を隔《へだ》てている現実があることは分かっているのに、逢えばまた恋しさに心の乱れがつのるだろう、そうなるのは不本意だし、と、強《し》いて心を励まして思い切っているのであろう。

野宮の別れ

御息所は、今こうして嵯峨野《さがの》の野宮《ののみや》で物忌みの生活を送り、もとの六条邸には、ごく短期間だけ折々帰っていることもあるけれど、どのみちすべて内緒にしているので、源氏はそのことを知らない。

この野宮は、人里離れた寂しいところにあって、そうそう気安く通《かよ》って行けるお住居《すまい》でもないので、源氏は、御息所のことを心には掛けながら、空《むな》しく月日が経《た》っていった。

桐壺院《きりつぼいん》は、命に関わるような重病ではないけれど、このごろはとかく体調を崩されては苦しまれているので、源氏としては、それも気がかりでなかなか心の休まるひまがない。しかし、このまま離れてしまえば、御息所は自分を冷酷な男だと思い込んだままになってしまうだろうと思うと、それも厭《いと》わしい。また、源氏という男は冷酷な人間だという評判が立つのも困る、そう思って、源氏は、ある日意を決して野宮へ出かけていくことにした。

折しも九月七日、斎宮の伊勢下向まで、日数《ひかず》はいくらも残っていない。そんな今日明日にも出立《しゅったつ》という間際になっての源氏のご入来《じゅらい》となると、御息所のほうも心慌ただしくて困るのだが、源氏は「立ち話でもいいから」とたびたび消息をよこす。これには御息所も、〈さてさて、どうしたものでしょう……〉と思い煩いながら、〈……せっかくそこまで言ってくれる君に逢わないのも、あまりにも引っ込み思案かもしれない、それなら、御簾《みす》越しの対面ならば……〉と思い思い、人知れず源氏の訪れを待ち設けていた。

遥かに遠い野辺《のべ》を分け入っていくにつれて、源氏は、万感胸に迫る思いがした。秋の花はもうすっかり衰え、茅萱《ちがや》の原には、枯れ枯れとした草葉の陰に、残《のこ》んの虫が声も嗄れ嗄れに鳴き、そこへ松風《まつかぜ》がぞっとするような音を立てて吹いてくる。

その風音に紛《まぎ》れるようにして、かすかに、絶《た》え絶《だ》えに、楽《がく》の音《ね》が聞こえてくる……たいそう雅《みや》びやかな趣《おもむき》があった。

源氏の一行は、まず気心の知れた前駆《さきが》けの衆十人あまりと、宮廷より派遣された随身《ずいじん》ども、いずれもわざとらしくない服装で付き従い、なにしろお忍びの道行《みちゆ》きではあるが、それでも源氏自身は、服装にはことに心を用いて趣豊かに装っているので、たいそう魅力的に見えた。お供している色好みの者どもは、この所柄《ところがら》といい、源氏の風姿《ふうし》といい、身にしみて感じ入るところがある。源氏自身もまた、これほどのところへ、なぜ今までたびたび訪れることをしなかったのだろうと、心中ひそかに、もう過ぎてしまった日々を悔《く》やむのであった。

頼りなげな垣根は、小柴《こしば》を編《あ》んでぐるりと廻《めぐ》らしてある。その神域内に、板葺《いたぶ》きにした仮造りの小屋が、あちらこちらに造り設けてある。入口の鳥居とても、黒々とした樹皮のまま丸太を組んで立ててあるのだが、それも所柄、なにやら神々《こうごう》しく見渡されて、俗塵《ぞくじん》にまみれた者が不用意に足を踏み入れることの憚《はばか》られる感じがする。なかでは神官たちが、源氏一行の接近を見咎《とが》めて、ここかしこに警蹕《けいひつ》の咳払《せきばら》いなどをしながら、なにか互いに言葉を交わしている、その気配なども俗世間とは格別に違った雰囲気である。

その中に、ほんのりと光が漏《も》れているのは、神饌《しんせん》の烹炊所《にたきどころ》でもあろうか、あたりには人気《ひとけ》も少なく、いかにもしんみりと寂しげで、ここにあの物思いに苦しむ御息所が、一年もの間世離《よばな》れて過ごしてきたのかと思いやると、なんだかとても身に沁みて胸の痛む思いがする。

野宮の北《きた》の対《たい》の、ここらあたりかと思われるところに、源氏はそっと身を隠して、まずはこうして訪ねてきたことを言いやる。

すると、今まで聞こえていた楽の音が、はたと止《や》んだ。源氏がついそこまで来ていると知って、宮の内に動く気配がある。それにもどこか貴《あて》やかな風情《ふぜい》が感じられて、さすがに奥ゆかしい。

しかし、返ってきたのは、かれこれ取り次ぎの女房たちを通じての通り一遍《いっぺん》の挨拶ばかり、御息所自身が対面する様子はさらにないので、源氏は面白くない。

「このような忍び忍びの通い路も、今は身に似合わぬ立場となってしまいました。そのことを、もしご推量くださるなら、わざわざ通ってまいりましたわたくしを、こんなふうに注連縄《しめなわ》の外に隔てて置かれたりなさいますな。どうか、直接にお目にかからせていただいて、この日頃わたくしの胸に鬱屈《うっくつ》していることを、なにもかもお話しして、心を晴らさせていただきたいのです」

こんなことを、源氏は、誠実な口調で申し入れる。これには、御息所近侍《きんじ》の女房たちが、なんとしても黙っていられない。

「まことに、源氏さまを、あのように……見るに見かねますことにて」

「お気の毒に、外に立ち惑うていらっしゃいますに……」

などと、しきりに取りなすので、さすがに御息所は思い惑うていた。

〈こんなことをしていれば、この女房たちの目から見ていかにも見苦しかろう……源氏さまだって、さぞ年甲斐もないことだと呆《あき》れておいでになるかもしれない。……といって、今さらおめおめと出ていってお目にかかるのもいかにも憚り多い……〉と、とつおいつ思いめぐらして、御息所の心は重くなる一方であった。〈しかし……今さら情知《なさけ》らずの冷淡な態度を取るというのもあまり感心したことではないし……〉と、心は堂々巡りをして、御息所は大きなため息をついた。そうして、やがてためらいながら、御息所自身、端近《はしぢか》に躙《にじ》り出て来る気配がした。その気配が、いかにも奥ゆかしいことであった。

「こちらの宮では、簀子《すのこ》だけでございましたら、上がることをお許しいただけましょうか」

と源氏は言い言い、簀子へ昇ると、そこに座った。

折しもきらびやかにさし昇ってきた夕月の光のなかに立ち居振舞う源氏の様子、その華やかな美しさは世に比類なく魅力的である。

この何か月かの途絶えの言い訳を、もっともらしく申し述べるのさえ、なにやら面映《おもは》ゆいほどのご無沙汰であった。そこで、所柄《ところがら》の榊《さかき》の枝を少しばかり折って持っていたのを、御簾のうちに差し入れて、源氏は言った。

「わたくしの思いは、この榊の枝のように、色をかえることがありませぬ。そのことを道しるべとして、わたくしはこの禁域《きんいき》の神垣《かみがき》を越えて参りました。それなのに、このようなお仕打ちは、あまりにも辛いことでございます」

これには、さすがに御息所が歌を詠んで返した。

神垣はしるしの杉もなきものを
いかにまがへて折《を》れる榊ぞ

この野宮の神垣には、あの三輪山《みわやま》の神のお印の杉のような目印もございませんのに、

いったいなにを間違えて榊の枝など折ってお持ちになったのでしょうか

源氏が、榊を道しるべにして訪ねてきたと言うので、御息所は、古歌に「わが庵《いほ》は三輪の山もと恋しくはとぶらひ来ませ杉立てる門《かど》（私の庵は、あの三輪山の麓《ふもと》にある。もし恋しく思うなら訪ねてお出《い》で、杉の立っている家がそこだからね）」と歌われた三輪山の神の伝説を引いて、その口説《くど》き文句をやんわりと、しかし、きっぱりと拒絶したのであった。が、源氏は負けていない。

少女子《をとめこ》があたりと思へば榊葉の
香《か》をなつかしみとめてこそ折れ

神にお仕えする処女《おとめ》のおわすあたりだと思うゆえ、榊の葉の香を懐かしく思って、
こうしてわざわざ折ってまいりましたものを

と、こちらは「榊葉の香をかぐはしみ尋《と》めくれば八十《やそ》氏人《うぢびと》ぞ円居《まとゐ》せりける（榊の葉の香をかぐわしいと思って、はるばる探し求めてまいりましたところ、こうしてたくさんの氏の人々が相集うておりましたなあ）」という古い神楽《かぐら》の歌を引いて、御息所の拒絶を押し返したのだった。

あたりは神韻縹渺《しんいんひょうびょう》として、色好みのわざも憚られる感じがしたけれど、源氏は、御簾を引き被《かぶ》るようにして顔を差し入れると、簀子から一段高くなった廂《ひさし》の間《ま》の下長押《しもなげし》（床《ゆか》の縁《ふち》）に押しかかるようにして座った。

かつて思いのままに逢うことができ、また御息所のほうでも源氏に熱い思いを燃やしていたころ、源氏は、いつでも逢えると思う気安さのあまりに、じつはそれほどこの女君のことを熱心にも思ってはいなかった。

それが、どうしたことであろうか、あの恐るべき事件以来は、源氏の心のうちに、御息所の欠点ばかりが思われて、恋慕の気持ちも次第に冷め、かくも疎遠な仲らいになってしまったというのに、いまこうして珍しく対面をしてみると、昔逢瀬《おうせ》を重ねた頃のことが思い出されて、痛切な思いに胸が締めつけられるようであった。そして、今まで共に過ごした日々のなつかしさや、これから遠く別れてしまう日々の寂しさを思うと、何もかも胸に迫って、源氏は、ついはらはらと涙を流した。

女は、心弱く苦しみ悲しむところを見られまいと、気を張って気持ちを抑えているけれど、やはり堪《こら》え切れぬとみえて、声を忍ばせて嗚咽《おえつ》を漏《も》らした。それを見れば、源氏の心はいよいよ辛く、やはり伊勢への下向は思いとどまるべきだということを、言葉を尽くして諫《いさ》めなどするようであった。

月も山の端《は》に沈み果てたのであろうか、いつしか廂の間に忍び入った源氏が、しんみりとした空を眺《なが》めながら、思いの丈《たけ》、別れの辛《つら》さなどをかきくどくのを聞けば、女心のうちにぎっしりとつまっていた恨めしさも消えたことであろう。

いや、せっかくこうして、源氏との縁《えん》も今を限りと思い切ったというのに、やはり逢えばこんなことだったと、生半可に心が動いてしまったのを、御息所は思い悩むのであった。常々殿上人《てんじょうびと》の若君たちが訪れてきては、その辺りに立ちわずらっていたと聞く庭の佇《たたず》まいも、どこまでも風雅を尽くしたありさまである。

こうして、恋の甘さも辛さも味わいつくした二人の仲で、しのびやかに語り合ったさまざまのことは、とてもここに短い筆を以《もっ》て書き尽くすことはできぬ。

やっと夜が明けてきた気配がする。まるでこの別れの場面のために作り設けたような朝の景色であった。

暁《あかつき》の別れはいつも露《つゆ》けきを
　こは世に知らぬ秋の空かな

暁のきぬぎぬは、いつだって涙なしにはいられないものですが、
この朝ばかりは、いままでに味わったこともなく悲しい秋の空でございますね

まだ帰り泥《なず》んで、源氏は御息所の手を取りながら躊躇《ためら》っている。その様子は、たいそう別れがたい風情であった。

風がひやりと吹き渡り、松虫（今の鈴虫）の声もかすれがちに、まるでこの場の悲しさを知っているかのようであった。かかる虫の声は、さしたる物思いをせぬ者にすら、聞き過ごすことのできぬほどの哀れさであったから、ましてや別離の情《じよう》迫って苦悩する二人にとっては、なまじっか歌など詠んでも、さまで良い歌はできなかったのでもあろうか。

おほかたの秋の別れもかなしきに
　鳴く音《ね》な添へそ野辺の松虫

通り一遍の秋の別れだって悲しいのだから、
そのうえ涙を誘うような哀れな声を鳴き添えないでおくれ、野辺の松虫よ

なにやかやと、悔やまれることも多かったけれど、なにを嘆いても悔やんでも甲斐《かい》なきことゆえ、もういいかげん明るくなってしまって、面映ゆくなる時分になって、ようやく源氏は立ち去っていく。

その道の辺《べ》には、しとどに露が置いて煌《きら》めいている。見送った女君も、心を強く持っていることなど、とうていできなくて、別れの名残を、哀切に反芻《はんすう》しながら、しんみりと思い沈んでいる。

夜明けの月光のなかにほんのりと見えた源氏の姿形、まだ辺りに消え残っているその匂《にお》いなど、若い女房たちは、身にしみて恋しく、いっそもうどうなってもいいようなことまで、口々に語り合うのであった。

「どんなに余儀ない事情があるとしても、あれほど素晴らしい方を見捨ててまで、お別れするなんて……」

女房たちは、そんなことを口にしながら、わけもなく涙ぐみあったのである。

やがて源氏からの後朝《きぬぎぬ》の文《ふみ》が届けられる。その文には、いつにも増して細やかな情《じょう》が込められているのを読めば、御息所の心は再び源氏に惹《ひ》かれていきそうになる。しかし、今さら思い返して伊勢下向を考え直すなどということはとてもできぬこと、なにをどう嘆いても甲斐のないことであった。

なにぶん、源氏という人は、それほど深い思いがなくとも、恋の情《なさけ》のためには上手なことを書きつづったりするようだ。となれば、まして、ありきたりではない格別の仲らいを、こんなふうに苦しみながら絶ち切っていこうとするのだから、この手紙には、別れが残念でならぬとか、心からいたわしく思っているとか、その並々ならぬ懊悩《おうのう》の由《よし》が書き連ねてあるのでもあろう。

伊勢下向の日近づく

そうして、やがて、御息所の旅装束はもちろんのこと、近侍の女房衆のそれぞれ、また何やかやの旅の調度《ちょうど》など、いずれも厳《おごそ》かに、また新しい意匠を凝らして、源氏の許《もと》から贈り届けられてくる。

しかし、御息所は、もう心を動かさない。これらの贅沢《ぜいたく》な餞別《せんべつ》を贈られたところで何とも思いはしなかった。

思えば軽率な、そして嫌《いや》になるような浮名《うきな》を流すばかりのあきれた我が身のありさまを、今さらながら、出立《しゆったつ》の日間近になるほどに、明けても暮れても嘆いている。しかし、娘の斎宮は、なかなかはっきりしなかった出立の日にちが、かくかくしかじかと定まっていくのを、幼心に、嬉《うれ》しいと思うばかりであった。それでも、世の人は、斎宮の下向に親が随行するなどは前例のないことだと非難する人もあれば、親心に同情する人もあり褒貶《ほうへん》さまざまの取り沙汰であった。

何事も、下々《しもじも》の者はこういう非難などを受ける心配がないので暮らしやすい。しかし、なまじっか世間並みならぬ地位にある人は、なにかと窮屈《きゅうくつ》なことである。

いよいよ伊勢下向の日

九月《ながづき》十六日、桂川《かつらがわ》で御禊《ごけい》が挙行された。それも普通の儀式より一段と念入りで、伊勢まで随行して送って行く勅使やら、あるいはそれ以外の同行する上達部《かんだちめ》やら、いずれも歴々たる家柄の、しかも声望に定評ある人を選んで宛て行なわれたのであった。こういう特別の待遇が用意されたのは、桐壺院から、格別な御配慮もあってのことだったのであろう。

いよいよ斎宮が野宮を出立するという時に、また源氏から、例によっての尽きせぬ思いを鏤《ちりば》めた手紙が届けられた。所柄、また折柄によそえて、斎宮あてには、

「かけまくもかしこき斎宮様の御前《おまえ》に」

などと厳《いか》めしく書き、白木綿《しらゆう》に結びつけてあった。

「『鳴る神だにこそは』……あの雷神でさえ、恋しい人との仲を裂いたりはいたしますまいに、

八洲《やしま》もる国《くに》つ御神《みかみ》も心あらば
飽《あ》かぬわかれの仲をことわれ

この大八洲国《おおやしまぐに》を守っている天の神様に、もし情深い心があるならば、まだまだ思いの尽きぬわたくしたちが別れなければならないことの、いかがなものかをご分別くださいませ

思いをめぐらしますと、まだまだ満ち足りぬ気持ちが残っております」

とあった。ご丁寧《ていねい》に、「天の原踏み轟《とどろ》かし鳴る神も思ふ仲をばさくるものかは（あの天の原を踏み轟かして鳴る恐ろしい雷《かみなり》だって、相思相愛の仲を裂くことなどできるものか）」という古歌

まで引きあいに出して、まだまだ自分の心は御息所に繋《つな》がれていて、それは斎宮様とて引き裂くことは出来ないのだと、源氏は、斎宮に向かって言挙《ことあ》げしたのであった。

斎宮のほうでは、出立《しゅったつ》の慌ただしい時分であったこともあって、ひとまず、返事が発せられたが、その斎宮の歌というものは、実は、女官の女別当《にょべとう》が代作代筆したものであった。

国《くに》つ神そらにことわる仲ならば
なほざりごとをまづやたださむ

国を守る神様が、なにもかもお見通しでお定めになる仲だとするならば、
まずはそういう口からでまかせのなおざりな言葉をこそ糾明《きゅうめい》なさることでありましょう

源氏、斎宮に女としての野心を抱く

源氏は、斎宮の一行が宮中で帝《みかど》にお別れの挨拶《あいさつ》をするのを見たいので、参内《さんだい》したい気持ちは山々であったけれど、このように御息所に袖《そで》にされて宮中で見送るというのも、どうも外聞が悪い感じがしてならぬゆえ、参内は思いとどまった。だから、その日は、なすと

ころもなく物思いに沈んでいた。改めて斎宮からの返歌を見てみると、ずいぶんと大人びた歌であり筆跡である。つい微笑《ほほえ》みを漏らしながら、源氏は、思った。

〈ふふん、年のほどよりはずいぶんと大人びた歌を詠んだものだな……〉

そう思いながら、源氏の心中には、早くもこの姫に対して「おんな」を意識する心が動き出した。

まことに、こんなふうにふつうだったらありえないような、煩《わずら》わしい女には、かならず心を動かすというのが、源氏の悪い癖であった。もとより、相手はまだ十四歳の少女で、しかも神に仕える身の斎宮で、なおまたさんざんな目に遭わされた御息所の息女でもある。かさねがさね、これはありえない恋心なのであった。

しかし、〈しまったな、こんなことなら、六条の邸にいた時分に、もっとよく見ておけばよかった。どんな幼姿《おさなすがた》だったたか、ろくに見ぬままにこんなことになってしまったのは、残念無念だ。……が、待て待て、とかく世の中は無常だ。いつまた世のありさまが変わって、斎宮の交替などということが起こらぬものでもあるまい。そうしたら、しかるべく対面する折もあろうからな〉などと、けしからぬことを源氏は思っていた。

御息所、斎宮と共に参内、帝にお別れする

斎宮も御息所も、もとより奥ゆかしく風雅な人柄ゆえ世の人気も高く、こたびの参内を一目なりとも見物したいという車がたくさん出てきた。午後の日もやや西に傾こうかという申《さる》の刻、斎宮一行が参内していく。御息所は、御輿《みこし》に乗って、なつかしい内裏《だいり》のありさまを見ていた。思えば、父大臣《おとど》が東宮《とうぐう》に入内《じゅだい》させようという大望を抱いて、それはそれは大切にかしずき育て、その望みどおり皇太子妃となったころとはなにもかも変わってしまって、かかるいい歳になってから再び内裏を見るにつけても、よろずにただ尽きせぬ哀しみを覚えるばかりであった。かつて、十六歳で故皇太子に入内し、二十歳で先立たれた。そして今日、三十歳で再び内裏の景色を見たのである。

　そのかみを今日はかけじと忍ぶれど
　心のうちにものぞ悲しき

あの懐かしい日々のことは、今日は決して口にすまいと堪《こら》えているけれど、

心のうちには、なにもかもが悲しくてならぬ

御息所はそんな歌を詠んだ。

斎宮は十四歳になっていた。もともとたいそうかわいらしい姫なのだが、きょうはそれに加えて、荘厳なまでに飾り立てているので、その美しさは、あわや悪霊にでも魅入られまいかと不吉な思いがするほど輝いて見える。帝は、この姫の美しさには、さすがに御心が動いて、恒例に拠《よ》って、別れの櫛《くし》を斎宮の髪に挿しながら、「京のほうへ赴《おもむ》き給うな」と、仰《おお》せになる折には、万感胸に迫ってふと落涙されるのであった。

伊勢へ向け出立

斎宮が、帝のおられる大極殿《だいこくでん》から退出してくるのを待って、その南側八省院《はっしょういん》あたりにずらりと駐車してある牛車《ぎっしゃ》には、いずれも女房たちが控えていると見えて、御簾の下から袖口が色々に押し出されている。その袖の色あいもどこか新鮮で、心惹かれる感じがする。これらの車には、殿上人たちの契り置ける女房たちが乗り合わせていると見え、あちこち

に私的な別れを惜《お》しむ人が多かった。
かくてすっかり暗くなる時分に、車はぞろぞろと内裏から立ち出でていく。二条大路《おおじ》を東進して、西の洞院《とういん》大路を南に折れてゆくのであるが、その道々、ちょうど源氏の私邸二条院の前を通ってゆく。源氏は在宅しながら、この行列が目前を通り過ぎていくのを、たいそう感慨深く思うけれど、むろん逢いに出ることなどは叶《かな》わない。せめて、源氏は榊の枝に挿して、一首の歌を捧《ささ》げた。

ふりすてて今日は行くとも鈴鹿川《すずかがは》
八十瀬《やそせ》の波に袖はぬれじや

そうやって、わたくしを振り捨てて今日あなたは行かれるけれど、あの鈴鹿川の数多い瀬々に、袖を濡らさぬことがありましょうか……そのように涙に袖をぬらされるのではありますまいか

けれども、もう辺りは暗く、また先の急がれる旅路であったので、この歌への御息所の返事は、翌十七日になって、逢坂《おうさか》の関《せき》の彼方《かなた》から遣《つか》わされてきた。

鈴鹿川八十瀬の波にぬれぬれず

伊勢まで誰《たれ》か思ひおこせむ
鈴鹿川の数多い瀬々に、濡れるか濡れないか、
そんなことをはるばると伊勢まで思いやってくださる人がおいでになりましょうか、はて

余計なことは何も書いていない。しかし、その筆跡はまことに味わい深げに書きなされ、全体にしっとりと品がよい。〈ああ、美しいご手跡《しゆせき》だ、これにもう少し、情深い心ばえを加えたならば、なにも申し分はないのだが……〉と源氏は思った。

外には霧《きり》が深く立ちこめ、絵のように美しい夜明けとなった。源氏は、外面《とのも》の景色に目をやりながら、遠く去った人のことを思って、独り言に呟《つぶや》いた。

行くかたをながめもやらむこの秋は
逢坂山《あふさかやま》を霧な隔てそ
あの方が去っていったあたりを、こうして眺めていたいのだ。だからこの秋ばかりは、
どうか霧よ、逢坂山のあたりを隠さないでおくれ

今日は、紫上のいる西の対《たい》にも行かず、ひとりつくねんとして源氏は、心寂しげな様子

で物思いに耽って過ごした。

ましてや、もとより心細い旅の空にある御息所の心ばえは、この霧に隔てられて、どんなにか辛いことばかり多かったことであろう。

桐壺院重病

桐壺院のご病気は、十月《かんなづき》に入ると、いよいよ重篤《じゅうとく》になっていったが、この君のお命を、世の中に惜しまぬ人とてもなかった。内裏では朱雀帝《すざくてい》も、このことを嘆かれて院の御所へ行幸《みゆき》がある。

病《やまい》ですっかり弱くなってしまっておられるお心にも、東宮のことは片時も念頭を去らず、よろしく頼むということを、何度も何度も、帝に托《たく》される。そして、次には源氏についてよく諭《さと》しおかれた。

「よろしいか、私の在世の時と変わらず、大小どんな事柄でも、心の隔てなく、何事も源氏を後ろ楯《うしろだて》として頼みにするがよい。源氏は、あれでまだ若いが、世間を治めていくについては、おさおさ遠慮すべきこともあるまいと思う。あれは、必ずや世の中を治めて行くことのできる器《うつわ》だと人相見《にんそうみ》の達人も申していた。が、だからこそ、擾乱《じょうらん》などの起こらぬものでもないと案じて、そのわずらわしさに、敢《あ》えて親王とすることをせず、臣籍に降下させたというわけなのだ。それは、そなたの臣下として政治向きの後見役を務めさせようと、そういう思いからしたことなのだからね。だから、くれぐれも、そこを心得違いしてはならぬぞ」

と、心に沁《し》みるようなご遺誡《ゆいかい》を、このほかにも数多く仰せ出されたのだが、もとより政治向きのことは、女の身としてくだくだと口にすべきことでないし、たったこれだけ書くだけでも、じつは気の引ける次第である。

このご遺誡を承《うけたまわ》った朱雀帝も、たいそう悲しく思われて、決してお諭しに違《たが》うことはしないという旨を、何度も何度も、懇《ねんご》ろに申し上げる。今では、帝もたいそう美しくご成長で、なおまた年々歳々風格を具《そな》えてこられたのを、院は嬉しく、また頼もしく見ておられる。

行幸とあれば、なにもかも決まりがあってままならぬゆえ、帝は急ぎ還御《かんぎょ》なさったが、それについても、なまじっか帝に対面されたために、重病の院の御心にはかえって物思いとなったことが多かった。

東宮も見舞いのため行啓す

東宮もまた、桐壺院への行幸に一緒に行きたいとは思ったけれど、それはまたなにかと面倒なことにもなるので、帝とは別の日に行くことになった。東宮は、実際の年齢よりもずいぶん大人びてはいるが、かわいい様子で、いつでも父桐壺院を恋しい恋しいと思って過ごしていた、その恋慕の募《つの》っていたところだったから、まったくもう無条件に嬉しいばかりで、父院を見る様子も、まことにお労しい感じがする。

藤壺中宮《ふじつぼちゅうぐう》がわが子の東宮を迎えて涙に暮れているのを、桐壺院はご覧になって、千々《ちぢ》に心乱れておいでになる。この機会に、院は、東宮に対して、あれこれのことがらを教諭されるが、東宮はまだ幼くて、そのことが解ったかどうか、心もとないことだと、院は悲しくご覧になった。それから、院は、源氏に向かって、公《おおやけ》の政《まつりごと》に参画《さんかく》するときの心遣いについて、また、東宮の後見役として力を尽くしてほしいということなど、これも何度も何度も仰せになる。

東宮は、夜更けに、ようやく内裏へ帰っていった。その還御に際して大仰なとりなしのやかましさを見ると、東宮とは申しながら、実際には帝の行幸と選ぶところはないのであった。

こうして、まだまだ見ていたい東宮が、もう帰ってしまったのを、院はひどく悲しいことと思われた。

桐壺院崩御

弘徽殿大后《こきでんのおおきさき》も院の御所《ごしょ》へ参向しようという気持ちはあるのだが、なにぶん藤壺中宮がいつも院の御側《おそば》に付いているのに遠慮して、なかなか決心がつかない。そうこうするうちに、院は、とりたてて苦しまれることもなく、静かに崩御《ほうぎょ》された。これには、身も世もあらぬ悲しみにくれ惑うた人も多かった。

というのは、桐壺院はたしかに朱雀帝に帝の位を譲られはしたものの、じっさいには、天下の政《まつりごと》は万事、院が取り仕切っておられたことゆえ、なお天皇在位中と同じことであったし、帝はまだ若年とあって、その外戚《がいせき》の祖父右大臣《うだいじん》が、今後は天下を掌握することになりはせぬかと思われる。となると、この右大臣という人は、せっかちで人徳のない人柄ゆえ、これから先、いったいどんなことになってしまうのだろうと、上達部、殿上人、みな思い嘆いているのであった。

藤壺中宮や源氏などは、まして、もう何も手に付かないほどの悲しみであったが、七日ごとの法要など、孝養《きょうよう》を尽くすありさまも、凡百《ぼんひゃく》の親王がたにすぐれて立派に執行《しゅぎょう》されるのを、まあそれも当然といえば当然ながら、深い感動を以て世間の人たちも見ていた。

源氏は、かくてまた服喪の素服《そふく》に身を窶《やつ》すことになったが、それさえ、限りなく清廉な美しさでどこか痛々しげであった。去年は正室の葵上を喪《うしな》い、今年また父院を喪って、こんな悲運の打ち続くことを見るにつけても、つくづく人の世は面白くないものと源氏は思うようになった。そこで、出家《しゅつけ》の宿志《しゅくし》を遂げたいと、またもや思い立つことはあるのだが、やはり現実には様々のしがらみがあってままならぬことであった。

四十九日の法要が終わるまでは、桐壺院にお仕えしていた女御や御息所たちも、みな院の御所に集《つど》うていたが、それも過ぎると、散《ち》り散《ぢ》りになって去っていった。

折しも師走《しわす》の二十日とあって、世間おしなべて年もおしつまった陰々滅々《いんいんめつめつ》たる空の気配に添えて、まして晴れる時とてもない藤壺の心の内であった。弘徽殿大后の心のほどもよく知っていればこそ、これから先、その思いのままになってしまうだろう世の中は、なんとしても居心地が悪く住みにくいものに違いないと、そう慮《おもんぱか》るほどに、年来馴れ親しんできた桐壺院のご様子をあれこれと思い出さぬ時とてなく、さりとて、このまま院の御所に住み続けるわけにもいくまいし、近侍の者たちもみな散り果ててしまうとあっては、その悲しいことは限りがない。

藤壺、三条の宮に里下りす

そこで、藤壺の宮は、里邸の三条の宮に帰ることにした。お迎えには、兄宮の兵部卿《ひょうぶきょう》の宮《みや》が出向いてきた。折しも雪がちらつき、寒風の吹きすさぶ日であった。院の御所のうちは、次第に人気《ひとけ》も少なくなっていって、ひっそりとしている。

そこへ、源氏が現われた。源氏は、兵部卿の宮と藤壺のいるところへやってくると、三人で故桐壺院の思い出をこもごもに語りあった。その部屋の目前に五葉《ごよう》の松があったが、折節《おりふし》の雪に枝を垂《た》れ、下葉が枯れている。それを見て、兵部卿の宮がまず一首詠んだ。

蔭《かげ》ひろみ頼みし松や枯れにけむ

下葉《したば》散りゆく年の暮かな

広々と豊かな蔭をなしていたこの松。その蔭を頼りにしていたのに、
もう枯れてしまったのだろうか。こうして下葉も散り散りになってゆく年の暮れだね

思えば桐壺院の懐《ふところ》の深さ、お恵みの豊かさはこの松のようだったのに、今ではその蔭を頼みにしていた近侍の者どもも散り散りになってしまった、と宮の心には寂寞《せきばく》たる思いがある。この歌は、どうということもない歌だが、今の源氏には、いかにも身につまされるものがあって、涙に袖がひどく濡れた。

見れば庭の池の水が凍《こお》っている。そこで源氏はこう歌を詠じた。

さえわたる池の鏡のさやけきに

見なれしかげを見ぬぞかなしき

冴《さ》え冴《ざ》えと澄んだ池水の鏡の清らかさのうちに、いつも見慣れていた、
あの方の影を見ぬことの、ああなんと悲しいことだろうか

これは、思いの丈《たけ》を和歌の形にしたというところで、歌柄としては、いかにも未熟のよ

うに思われる。

すると次には、王命婦《おうみょうぶ》が詠んだ。

年暮れて岩井《いはゐ》の水もこほりとぢ
見し人かげのあせもゆくかな

こうして年も暮れて、岩清水《いわしみず》の水も氷が閉じ固めてしまいました。されば、この水に映《うつ》して見ていたお方の面影《おもかげ》も、日々に色褪《あ》せてまいりますこと

これらを始めとして、口々に詠まれた歌は多かったけれど、これくらいにしておくことにしようか。

院の御所から、里の邸に下がってくるときの儀礼は、以前と何も変わらないのだけれど、思いなしかしんみりと感じられて、実家の邸なのに、かえって旅の宿りのような心地さえする。それで、入内《じゅだい》以来、里住みの絶えていた月日のいかに長かったことかと、藤壺は、今さらながらに思い巡らしていたことであろう。

年明けて淋しい源氏邸の日々

年が明けた。

しかし、世の中は、諒闇《りょうあん》のために華やかでにぎわわしいことなどは何もなく、静まり返っている。まして源氏は、何をする気も起きずにつれづれと自邸に籠《こも》っていた。

正月の官吏任命の式典など、院のご在位中は言うまでもないこと、位を退《しりぞ》かれて後も、年ごとにその勢いは衰える気配もなく、二条の源氏邸の門前のあたりに所せましと馬や車が立て込んでにぎやかなことだったが、今ではそんな人立《ひとだ》ちも見えず、家来《けらい》どもの宿直《とのい》のための夜具袋ももはやちっとも見当たらなくなっている。そんななかにも、特に親しく仕えてきた家来どもだけが、急ぐことは何もないという様子で、のんびりとしているのを見るにつけても、〈ああ、これからは、こんなふうに寂しくなるのか……〉と思いやられて、心中に荒涼とした思いが去来するのであった。

朧月夜の君、尚侍に昇進

朧月夜《おぼろづきよ》の君、すなわち御匣殿《みくしげどの》は、二月《きさらぎ》に尚侍《ないしのかみ》に昇進した。それまで尚侍であった人は、桐壺院の喪に服して後、すぐに世を捨てて尼になってしまったので、その後任として選ばれたのである。

朧月夜の君は、高貴な家の姫らしく品良く振舞い、また人柄もとても良かったので、女御《にょうご》更衣《こうい》、さまざまの女たちのなかでも、とりわけて帝のご寵愛《ちようあい》を受けるようになった。弘徽殿大后は、里の二条の邸にいることが多く、折々宮中に参るときの局《つぼね》として梅壺《うめつぼ》を拝領していたので、もとの局であった弘徽殿には、この朧月夜の尚侍が住むことになった。それまで御匣殿の時に住んでいた登花殿《とうかでん》は、帝のおわす清涼殿《せいりようでん》からはずいぶん離れていて陰気なところだったが、弘徽殿に移り住んでからは心も晴れ晴れとし、側仕《そばづか》えの女房たちも数多く集まって来て、いかにも陽気に華やかに過ごしている。

けれども、じつは、尚侍の心のなかでは、あの四年前の花の宴《えん》の折に、思いがけず契ってしまった源氏のことが忘れ難く思われて、ひそかに嘆きを重ねていた。おそらくは源氏のほうから、極秘裏に恋文を通わせてくることが以前と少しも変わらなかったのであろう。

もしこの恋文の沙汰が世の中に漏れ聞こえたなら、どんな一大事を惹起《じやっき》するだろうとは思いながら、源氏は、してはいけない恋にばかり心を動かされるという例の悪い癖ゆえに、朧月夜が尚侍になって弘徽殿に住むようになったという今こそ、ますますこの人に対する恋心が募っていくようであった。

いっぽう、弘徽殿大后のほうは、院のご生前こそは遠慮していたのであったが、院亡き今は、なにぶんにも気性の強い人柄ゆえ、桐壺更衣のこと、源氏のこと、また藤壺のことと、あれこれ執念深く思い詰めている恨みつらみの仕返しをしてやろうと思っているのであろう、なにかにつけて、源氏にとって嬉しからぬことばかり出来《しゆったい》するので、源氏は、いずれ院崩御の暁には、こういうことになるだろうとは予見していたものの、今まで、経験したことのない憂《う》さ辛さに際会《さいかい》して、公家社会に交わる気持ちもなくなってしまっている。

左大臣の失意と源氏の心遣い

左大臣も、こうした状況には索漠《さくばく》たる心地がして、特に内裏にも参上しない。亡き姫葵上を、敢えて東宮（朱雀帝）からは避けて源氏に縁付けたという左大臣の心を、弘徽殿大后はとくに遺恨に思っているから、左大臣家についてはなにもかも面白くない。

もともと、左大臣と右大臣の仲は、互いにそっぽを向きあっているようなことであったが、ただ、桐壺院のご在世中は、院のご威勢によって、左大臣が権勢を恣《ほしいまま》にしていたのだった。しかし、今や時移って、右大臣がしたり顔で政治を壟断《ろうだん》するようになったのを、なんとしても面白からぬことと、左大臣は思っている。それもまことに道理であった。

源氏は、左大臣の邸には、以前と変わらず通《かよ》って来て、そこに長く仕えている女房衆にも、むしろ以前にましてこまごまと心を配ってはあれこれと指図などし、ただただ若君を大事に大事に愛育することがなみなみでないので、左大臣も、〈ああ、ありがたいお心遣いよなあ〉と、源氏のことを大事にお世話すること、これも以前と何ら変わりがなかった。

なにぶんにも、桐壺院が源氏を寵愛されることは限りがなかったので、しきりに内裏へお召しはあるし、あれやこれやまことに忙《せわ》しなく、おちおちと二条の邸にも帰れないほど暇がないように見えたが、それも今は絶えてなく、あれほど手広く通っていた女たちのところへも、そちこち途絶えてしまったこともあり、またあまり軽々しいお忍びの色恋沙汰も、立場上よろしくないと思うようにもなって、もはや取り立てて通わぬようにもなったので、源氏の身辺はまことにのどかで、却って今のような生活のほうが、かくあるべきありさまであった。

紫上の幸福

西の対《たい》の姫君、紫上にとっては、これこそ幸福な日々であったから、世間の人も、素晴らしいことだと噂《うわさ》している。姫君の乳母少納言《めのとしょうなごん》の君《きみ》なども、この幸せな暮らしは、お祖母さまの故尼君が生前懇《ねんご》ろに祈りおいたことのご利益《りやく》だと見ている。また姫君の父、兵部卿の宮も、今はなんの差《さ》し障《さわ》りもなく思うさまに音信《おとずれ》を通わせることができる。

こうなってみると、兵部卿の宮の正室の腹に生まれた姫君のほうが、比類ない玉の輿に乗せたいと思っていたにもかかわらず、はかばかしい縁を得ることもできなかったために、この紫上の栄光はねたましい限りだと思うことが多い。そこで、紫上にとっては継母《ままはは》に当たる正室のほうでは、どうしても安からぬ思いをしているにちがいなかった。このあたりは、継子《ままこ》苛《いじ》めの物語にわざとらしく拵《こしら》えたようなありさまなのであった。

朝顔の姫君、賀茂の斎院になる

さて、桐壺院の第三皇女は、賀茂《かも》の斎院《さいいん》となっていたが、院の崩御にともなう服喪のため、その職を辞《じ》した。これに代わって斎院に任ぜられたのは、式部卿の宮の息女朝顔《あさがお》の姫君であった。

そもそも賀茂の斎院には、内親王が立つのが例で、朝顔の君のような天皇の孫姫がなるという例は多くはないのだが、おそらくこのときはちょうど好適な内親王が見当たらなかったのであろう。

源氏は、もうずいぶん長いことになるけれど、いまだにこの朝顔の姫君への恋心を断つことができない。それなのに、斎院というような手の届かぬ筋の人になってしまうことを、残念に思っている。そこで、朝顔の君の近侍の女房中将の君《ちゆうじようきみ》を仲立ちとして音信を通わせるということも以前と変わりなく、この伝手《つて》を使って今も絶えず文を送っているらしい。

今こうして昔とは大違いの境遇になっていても、源氏はそのことを格別に気にもせず、このようなたわいもない色恋沙汰を、暇に任せて、あちらこちら、思ったり悩んだりしているのであった。

朱雀帝は、桐壺院のご遺誡を違《たが》えることなく、源氏に対しては親愛信頼の情《じよう》を持っていたのだが、まだ年が若い上に、ご性格が柔弱《にゆうじやく》にすぎて、確乎《かつこ》たる強さがなかったからだろうか、母弘徽殿大后、また祖父右大臣が、思いのままに万事を取り仕切ることに関して、なに一つ反対することができず、結句、世の政治向きのことは、帝のお心のままにはならないようであった。

源氏、朧月夜と密会やまず

源氏にとっては、もはや思うに任せぬ世で、煩わしいことばかりが増えていったが、さるなかにも、朧月夜の尚侍《ないしのかみ》の君に対しては、互いに人知れず気脈を通じあっているので、無理無理ながら逢うことはあって、決して音信不通《おんしんふつう》になっているわけではない。たとえば、五つの戒壇《かいだん》を設けて執行《しゆぎよう》する御修法《みずほう》の折など、その始まりのころに帝が物忌みに籠っている隙《すき》を窺《うかが》って、また例によって夢か幻のように通って来ては逢瀬を遂げるのであった。

かつて二人が最初に情《じよう》を通じた、思い出深い弘徽殿の細殿《ほそどの》の局《つぼね》に、お側付きの女房中《ちゆう》納言《なごん》の君が手引きをして、うまいこと紛らせて導きいれる。なにぶん、御修法の真っ最中ゆえ、出入りの人々も多い折柄、細殿などという簀子も付いていないような建物の、外からすぐ分かってしまうような端近《はしぢか》なところで契りを交わすなど、そら恐ろしい感じがする。

毎日見慣れている人でも、源氏の美しさはいつまでも見ていたいほどだったから、ましてや、たまにしか実現しない対面とあって、女はなんとして疎略に思うことができようか。

その、女のほうも、まことにすばらしい美貌の盛りであった。しっとりと品格があるかどうかといえば、いささか疑問もあるが、しかし、たしかに美形で、女としての生々しく若々しい魅力があり、かれこれ男好きのする風姿の君であることはたしかであった。

まもなく夜が明けていくのではないかと思われる頃、どこかすぐ外のところで、「宿直《とのい》のナニガシ、これにおります」と、宿直の司人《つかさびと》が型通りの声を上げた。源氏は一瞬、もしや自分のところへ近衛府《このえづかさ》の宿直役の者がやってきたのではあるまいかと、息をのんだ。……が、まさかそんな筈《はず》はない。忍んでここに通《かよ》って来ているのだから、自分の側近以外、誰も知っている筈はない。

〈ははぁ、さては自分以外にもだれか、中将とか少将とかの位にあるものが、この近くの女房のところへ通って来ているにちがいあるまい。それを、だれかは知らぬが、根性の悪い同僚なぞが宿直の者に教えそそのかして、こんなところへよこしたのでもあろうかな、きっとそうだぞ〉と源氏は推量した。そして、そういう悪戯《いたずら》も、まあ面白くはあるけれ

ど、鬱陶《うつとう》しいことをするものだと思った。おそらくこの役人は、あちこちとその将官を尋ね回ってここへ至り、

「寅《とら》の一刻（午前三時頃）でございます」

と言上したのであろう。

朧月夜は、別れの歌を詠んだ。

心からかたがた袖を濡らすかな
あくと教《をし》ふる声につけても

わたくしの恋心のゆえに、あれこれと物思いして袖を濡らしております。ああやって、夜が明くと教える声をきくにつけましても……だって、あなたがもうこの恋に飽くと聞こえるのですもの

と呟《つぶや》く様子は、いかにも儚《はかな》げにみえて、それはそれでまた美しいのであった。源氏はさっそく歌を返す。

嘆きつつわが世はかくて過《す》ぐせとや
胸のあくべき時ぞともなく

こうやって嘆きながら、私の一生は過ごせとおっしゃるのですか。

わたくしもあなたとの逢瀬はいつも飽かぬ思いで別れなくてはなりません。

だから夜は明くともわたくしの胸は飽く時とてございません

　こうして、源氏は心も慌ただしく、その部屋を出ていく。

出てみると、辺りはまだ真の闇《やみ》で、その暁闇《あかつきやみ》の空にかかった月が、得《え》も言われぬ美しさでぼおっと霧にかすんでいる。その朧々《ろうろう》たる光のなかを、たいそう窶《やつ》した粗服に身を包んで、振舞いも忍びやかに源氏が出て行く、その姿もまた、世に似る者とてもない美しさであった。


が、……。


　その時、朱雀帝に仕える承香殿《しょうきょうでん》の女御の兄の、藤少将《とうしょうしょう》という人が、飛香舎《ひぎょうしゃ》付きの女房のところから出てきて、やや物陰になって月光も射さないあたりに立っていたのだ。源氏はそのことについぞ気付かなかったが、少将のほうは、一目見て、この素晴らしい姿の男が源氏だということにすぐ思い当たったのは、まことにとんだ災難であった。

　やがては、この少将が、源氏の振舞いについて、なにかと非難するようなことも、きっとあるにちがいない。

源氏、またもや藤壺のもとへ忍びよる

こうした道ならぬ逢瀬につけても、〈……あの藤壺の宮は、いつも自分に隔てを置いて、つれない扱いしかしてくれないけれど、それはそれでご立派な態度かもしれない〉とは思うものの、また源氏の自分本位な心からすれば、やはり辛く恨めしいと思う折も多かった。

いっぽうの藤壺は、宮中に参るということも、最近ではどこか馴れぬ場所に出るようで気詰まりに感ずるようになってしまっていて、わが子東宮に会うことができないのを、気がかりに思って過ごしている。

けれども、宮中は、今では右大臣の天下で、藤壺には身の置き所もなく、これといって他に後見役としての頼もしい人材もいないことゆえ、ただただ源氏の君を万事頼りにしているのであった。それなのに、その源氏が、いつまでも自分に恋慕をして気色《けしき》ばむことも絶えないので、ともすれば胸を痛めるような折々も少なくなかった。

亡き桐壺院が、源氏との一件を気配すらお気付きにならぬまま逝去されたことだって、ずいぶん罰当たりな恐ろしいことに思えるのに、今さらながらに、このことが人の口に上《のぼ》りでもすれば一大事となる。いや、自分の身はどうなっても構わないが、東宮の身に累《るい》が及びはしないかと思うと、それが恐ろしい。

そこで、藤壺は、祈禱《きとう》を頼みなどもして、ひたすらに源氏が思いを冷ましてくれることを祈りつつ、至らぬ隈《くま》もなく細心の注意をして源氏の求愛を退け続けていた。

しかし、それはどんな折だったであろうか、源氏が驚くべき手段を弄《ろう》して近づいてきたことがあった。

それも、深謀遠慮を廻《めぐ》らしてのことゆえ、女房衆のうちでこのことに気付いたものは一人もいなかった。そうして、源氏は、まるで夢のなかの逢瀬のように、密《ひそ》かにやってきた。

その時、源氏は、今ここに筆に写すことができぬくらい、巧みなうえにも巧みな言辞《げんじ》を弄して藤壺をかきくどいたが、藤壺のほうでも、そこは心得てぴしゃりと冷ややかに応対をする。そんな際どい押し問答の果てに、宮は俄《にわか》に胸の痛みを訴えて苦しみだした。近くお仕えしている命婦、弁《べん》などの女房たちは、吃驚仰天《びっくりぎょうてん》して介抱の手を尽くした。

男は、もうずっと、宮に対して、冷たい、恨めしいなどと思い続けているので、こんな事態に直面して、来《こ》し方も行く末も暗澹《あんたん》たる思いにくれ惑い、分別もなにも失《う》せてしまった。

もうほんとうなら帰らなくてはいけないという時刻も過ぎ、茫然自失《ぼうぜんじしつ》のうちに、とうとうすっかり朝が来てしまったけれど、ついに藤壺の部屋から出るに出られない。そうこうするうちには、藤壺急病の事態に驚いて、女房たちが近く伺候《しこう》してはしきりに出入りするので、源氏は我を失って、あられもない姿のまま、命婦と弁の手で塗籠《ぬりごめ》（納戸《なんど》）に押し込められて隠れている。源氏の装束《しょうぞく》を隠し持っている命婦らは、まったく困惑を極めている。藤壺は、なにもかももう辛くて辛くて、頭に血が上《のぼ》ってはますます具合が悪そうにしている。やがて、兄宮の兵部卿の宮や、中宮職《ちゅうぐうしき》の長官などもやってきては、

「僧を呼びなさい」

などと、大騒ぎになってきた。このありさまを源氏は塗籠に隠れたまま、身も世もあらぬ思いで聞いていた。

藤壺の病は、その日も夕刻になって、やっと治まったのであった。

こんなふうに、ついそこの塗籠《ぬりごめ》に源氏が隠れていることを藤壺は思いもかけず、近侍の女房たちも、そのことに気付かれればまた藤壺の心が乱れるにちがいないと気づかって、こんなことになっているのだということも言わずにいるのであろう。

やがて、藤壺は、床《とこ》から這《は》い出して昼の御座所《おましどころ》に躙《にじ》り出てきた。これを見て、兵部卿の宮も一安心とばかり帰っていったので、藤壺の身近に人気《ひとけ》が少なくなった。宮のような立場の人ともなると、日頃からそう馴れ馴れしく人を近くには置かぬもので、女房たちも、あちらこちらの、几帳《きちょう》やらなにやらの陰にそっと控えているようであった。

命婦の君と弁は、

「さてさて、どうやって源氏さまをあそこからお出ししましょうかねえ」

「このままずっとああしておられたら、今宵《こよい》もまた宮さまのおつむに血が上ったりせぬものでもなし……そうなったら、おいたわしいことだし」

などと囁《ささや》きあって相談している。

源氏は、塗籠の戸が細目に開《あ》いていたのを、そっと押し開けて、その前に立ててある屛風《びょうぶ》の間《あいだ》に身を潜《ひそ》めた。すると、その隙間《すきま》から藤壺の姿が見えた。

その珍しさ、うれしさ、源氏は涙なくしては見ていられない。

藤壺の声が聞こえた。

「まだ、ああ、苦しい、とても苦しい。もう命もこれまでかもしれません」

などと言い言い、藤壺は外のほうを眺めやっている。その横顔の美しさ。源氏の目には、何と言ったらいいか分からぬほど、しみじみと魅力的に見えた。

「せめて果物でも召し上がられては」と女房たちが、おそばに置いていったらしい、その箱の蓋《ふた》に盛られた果物はいかにも美味《おい》しそうで、咽喉《のど》から手が出そうな気持ちになりそうなものだが、宮は見向きもしない。ひたすら、源氏とのことを思い悩んでいるらしい様子で、ただぼんやりとうち沈んでいる、その姿はとてもいたいたしく見える。髪の様子、頭の格好、またその髪が肩や背になだらかにかかっているさまなど、どこまでも匂い立つような美しさだが、その美しさは、あの西の対の姫君、紫上に寸分違《たが》うところがない。

ここ何年かは、藤壺が桐壺院のおそばから離れなかったことゆえ、源氏はその姿を見ることもかなわなかった。紫上が藤壺に瓜《うり》二つであることは、それがために源氏の意識からはしばらく忘れられていたのであったが、いま目《ま》の当たりにすると、〈びっくりするほどそっくりだ〉と再発見するのであった。すると、懊悩の源泉である藤壺を、自分の掌中《しょうちゅう》にしているような錯覚を覚えて、すこしだけ物思いを晴らすすべのあるような心地がした。

しかし、藤壺の凜《りん》とした気品や、こちらが恥ずかしくなるような美しさなども、紫上にはそっくり受け継《つ》がれている美質で、まるで同一人物かと思えるくらいである。それでも、やはり、もう思い出せないくらい昔から藤壺をひたすらに慕《した》い思い詰めてきた心からなのか、やはり藤壺のほうが格別に美しく、また成熟した色香が感じられるな、とその魅力はたぐいなきものと思う。

そう思った瞬間に、源氏の心はもう理性をかなぐり捨てて、そっと藤壺の御帳台《みちようだい》のなかへ身を滑《すべ》り込ませると、その衣《ころも》の褄《つま》を引っ張った。そのとき、かそけき衣擦《きぬず》れの音が耳を穿《うが》った。

それが源氏だということは、紛《まが》いようもない。さっと匂《にお》った袖の香《か》にそのことを悟った藤壺は、想像を絶して疎ましいことに思い、そのまま突っ伏してしまう。源氏は、〈せめて自分を見るくらいのことはしてほしいのに〉と、胸は痛み、辛くも思って、無理にも藤壺の体を引き寄せようとした。

すると、藤壺は源氏の摑んでいる上の衣を滑り脱いで、そのまま躙《にじ》り退《の》いた。けれども、源氏の手は、衣の褄ばかりでなく、思いもかけぬことに女の髪も捉《とら》えている。藤壺は、身動きが出来ない。

〈ああ、なんて情《なさけ》ない身なのでしょう〉と、こうなるべき前世からの因縁がつくづく思い知られて、藤壺は深い悲しみを覚えた。

男も、このところずっと藤壺のことはできるだけ思うまいと自制していた心が、もう千々《ちぢ》に乱れてしまって、分別もなにもかなぐり捨て、ともかくなにがなんでも恋しくて苦しくてならぬということを、泣きながら訴えたけれど、それを聞いた藤壺は、心底《しんてい》厭わしく思うばかりで、何も答えない。かろうじて口を衝《つ》いて出たのは、

「気分がとても悪いので、今はとても……いつかこんなふうでないときにお返事も申しましょう」

という言葉ばかりであった。

それでも源氏は、憑《つ》かれたように、限りない恋慕の思いをかきくどき続ける。そのなかには、さすがに胸の締めつけられるような事どもも混じっていたことであろう。藤壺はこれを思えば、たしかに契ったこともなかったわけではない。けれどもそのことを、藤壺はここで、改めて無念なことだったと思うゆえ、口調だけは優しげだけれど、源氏がどうくどいても巧みにはぐらかし言い逃れて、とうとうその夜も明けてゆく。

ことここに至れば、さすがの源氏も、藤壺の心に最後まで従わないというのも恐れ多く、またこんな状況にあっても、藤壺その人は、みなが恥ずかしくなるほど立派な態度を持《じ》しているので、せめてこんなことを口走った。

「ただ、こんな調子で、ときどきわたくしの思いのほど、その苦しみだけでも聞いて頂いて、わが心を晴らすことができましたら、なんで恐れ多い振舞いなどいたしましょうか。もう決して……」

源氏は、藤壺を安心させようとして、こう言うのであった。

もっと平々凡々たる身分の者であっても、こんな禁じられた恋ともなれば、胸の締めつけられるようなことがあれこれあるようだから、まして、今宵の源氏と藤壺の逢瀬ともなれば、その恍惚《こうこつ》と煩悶《はんもん》はたぐいなきもののように見える。

すっかり明け放れてしまった。

このままでは大変なことになる、と、命婦と弁は、二人して源氏がここを一刻も早く立ち去ってくれるようにと説得を試みる。

しかし、藤壺は、茫然自失半死半生、いかにも辛そうにしている。これをみて、源氏も苦しんでいる。

「こんな目に遭いながら、まだおめおめと生き永らえているのかとお耳に入《はい》ることさえ恥ずかしい限りでございますから、いっそこのまま死んでしまいたいと思います……けれど、ここで死んだら、恋の妄執が残って、わたくしは死しての後も成仏往生《じょうぶつおうじょう》できますまい。そうなれば、それは、翻《ひるがえ》って御身の罪にもなりましょうから……」

と、源氏は、そんなことを囁くのだから、まったく気味悪いほど思い込んでいるのである。

「逢ふことのかたきを今日に限らずは
今幾世《いくよ》をか嘆きつつ経《へ》む

逢うことが難しいのは今日に限ったことではありますまい。
これからもずっとこんな辛さばかり続くのでしたら、
死んで生まれ変わってまた死んで生まれ変わってと、来世未来永劫《えいごう》まで、
わたくしは嘆きながら過ごしていくことになりましょう

そんなことは、御身の往生を妨げる基《もとい》ともなりましょうほどに……」

源氏のこの言葉には、さすがに藤壺も黙《もだ》し難く、大きくため息を吐いた。

ながき世のうらみを人に残しても
かつは心をあだと知らなむ

どんなに幾世重ねての恨みを、あなたの心に残すことになろうとも、
でもそのお心だって、移ろうてゆくかりそめごとだと、どうぞご自得《じとく》くださいませ

この歌を、あえて素《そ》っ気《け》なく詠み聞かせた。その様子は筆舌に尽くし難く立派だと敬服せざるを得ぬけれど、しかしこうしていても、藤壺にとっては迷惑であろうし、自分もまたつらくてしかたないので、ほとんど忘我の面持《おもも》ちで部屋を出ていった。

源氏、悲しみに茫然自失

〈かくては、もはや何の面目あって再びお目にかかることができよう……せめては、ああ源氏には気の毒なことをしたと、そうお気づきくださることを願うばかりだ……〉と思って、源氏は、敢えて文も書かない。

かくて源氏は、内裏へも東宮へも、ぱったりと参上することなく、ひたすら二条の邸に籠っては、寝ても起きても、〈……ああ、それにしても、なんとつれないお心だろうか〉と、見苦しいほどに、恋しさ悲しさに取り乱して、まるで魂が体から抜け出てしまったのであろうか、半病人のような心地になった。

〈この心細さは、……いったいどうしたことだろう。それもこれもこうして世俗色界《しきかい》に身を置いている限り、辛いことばかり増えていくに違いない〉と、「世に経れば憂さこそまされみ吉野の岩のかけ道踏みならしてむ（こうして世俗に居るから辛いことばかりがふえてくるのだ。吉野の岩嶮しい山道を踏みならして世を捨ててしまおうか）」という古歌の心を思って、源氏はいっそ出家遁世《とんせい》をとまで思い立つけれども、〈いやいや、あの紫上は、まだ自分がいたわってやらなくてはならないようなかわいい年齢だし、だいいち、この私を心底《しんそこ》頼りにしてくれているのだしなあ……〉と、これではとてもとても、世を振り捨てて仏道修行の道に入《い》るなど、できるわけもない。

藤壺の宮も、あの夜の辛い逢瀬の余波《なごり》だろうか、どうも体調がふつうでない。しかも、源氏が、こんなふうにことさらしく籠居《ろうきょ》しては文一つよこさないのを、王命婦などは、宮がお気の毒だと案じているのであった。宮もまた、東宮の将来を思うにつけて、なにしろ唯一の後ろ楯は源氏その人なのだから、〈ああ、あの源氏の君が、自分に心の隔てを置くようになっても困るし、……この世はなにもかも無意味だと、そんなふうにお思いになったら、きっと一途《いちず》にご出家などを思い立たれることがあるかもしれない……〉と、こちらもまたひたすら苦しく思っているようであった。

藤壺、出家を決意

〈さても、こんなことばかりが打ち続くようでは、年々辛さのまさる世に、このうえ不名誉な噂まで漏れ出でるのは避けられぬ。そうしたら、弘徽殿大后は、私が中宮の位にあるだけでも、あるまじきことだと仰せのようだし、いっそ中宮の位などこの際捨て去ってしまおうか……〉と、次第に思うようになった。

そもそもこの中宮位に就《つ》いたのは、桐壺院が東宮の身を思いやられてのお指図《さしず》で、くれぐれもよろしく頼むぞと仰せのあったときのご様子が、いかにも切実なものであったことを、藤壺は思い出した。

〈……なにもかも、ありし昔とは様変わりしてゆく世の中と見える。あの漢《かん》の高祖《こうそ》の死後、呂太后《りよたいこう》のために手足を削《そ》がれて嬲《なぶ》り殺された戚夫人《せきふじん》ほどではないとしても、きっと世の笑い草となるような目に遭うことがあるに決まっている、そんな拙《つたな》い身の上かもしれない〉と、もう世の中がすっかり疎ましい、生きにくいもののように思われて、いっそ世を背《そむ》いて仏の道に入りたいと思い定める。しかしそれにしても、こうして東宮にも逢うことができぬままに、髪を削《そ》いで尼姿になってしまうことが、どうしても悲しくてやりきれない。

そこで藤壺は、ひそかに宮中へ参上した。

中宮藤壺の後見役である源氏は、さまで表立った行啓《ぎようけい》ではなくとも、痒《かゆ》いところに手が届くようなお世話をするのが常であったけれど、こたびの参内については、病気を理由にしてお送りすることもしない。家来どもを派遣するなどの差配は常に変わらなかったが、肝心の源氏がまったく動く気配がないのは、よほど先日の一件で心がくずおれてしまったのだろうと、この間《かん》の事情を心得た者どもは気の毒がっている。

藤壺、東宮との別れ

訪ねていってみると、東宮はたいそうかわいらしく成長して、母宮に会えたのを、珍しいなあ、嬉しいなあと思って、甘えまつわりつくのを、藤壺はそれも痛切に愛《かな》しく思えて、この子を振り捨てて出家もなりがたいと思う。しかし、今やすっかり空気の変わってしまった内裏あたりの状勢を見るにつけても、世の中は哀しいほどに移ろいやすくて、〈自分がここにいた頃からは移り変わってしまったことばかり多い〉と藤壺は思うのであった。

なにしろ、あの弘徽殿大后がどう思うかということもひどく憚られるので、藤壺は、こうして宮中に出入りするだけでも、まるで針のむしろ、居所《いどころ》のない思いがして、なにをするにも辛いのであった。このままでは、東宮の御身《おんみ》のためにも危うく、万一にも悪いことが起こりはしないかと、藤壺の心は思い乱れる。

「お目にかからないままに、ずいぶん長い時がたってしまって……でも、もし、もしね、わたくしがすっかり様を変えてへんな容貌《かおかたち》になってしまったら、どうお思いになりますか」

　そんなことを言ってみると、東宮は、母宮の顔をまじまじと見つめて、

「へんなって、あの式部みたいに？　でも、どうしてあんなふうになってしまわれることがあるものですか」

　と微笑みながら答える。それも、なんともいいようなく心に響いて、

「式部？　あれは、もうオバアサンになって醜くなってしまったのですよ。そうではなくてね、この髪は式部より短くなってね、黒いお着物なんかを着てね、あの夜のお勤めのお坊様がたのような姿に、なってしまうとしたら、そしたらね……宮にお目にかかることも、いまよりずっと少なくなってしまいますよ」

　と泣き崩れる。東宮は真面目な表情になって、

「なかなか会えないのは、恋しいのに」

　と言いながら、涙が落ちる。東宮はそれが恥ずかしくて、涙を見せまいと顔をそむけたが、その垂《た》れ髪はゆらゆらとして美しく、目許《めもと》には心の惹きつけられるような色香があるのは、こうして成長していくにつれて、まるで源氏が少しずつその顔立ちを脱いでこの君に着せ替えていくような感じすらする。笑うと、歯がすこし虫歯になっていて黒ずんでい

るのは、お歯黒を付けたようにも見え、その鷹揚《おうよう》なかわいらしさは、まるで女の子にして見てみたいとおもうほど清らかに美しいのであった。

〈それにしても、こんなにもあの源氏に似ているのは困りました……それだけが玉に瑕《きず》で……〉と藤壺は案じるのであったが、それというのも、弘徽殿大后の牛耳《ぎゅうじ》っている世の中の難儀さゆえに、東宮の身の上が空恐ろしく思うのである。

源氏、雲林院に参籠し、紫上と文を贈答

源氏は、東宮のことをとても恋しく思ってはいるのであったが、自分に対してあのように冷淡であった藤壺のことを、〈あんなお仕打ちは、どれほど情知《なさけ》らずのお心であったかということを、たまにはご自身思い知られたほうがいい、それを分からせて上げなくては〉と思って、内心は逢いたいのを、ひたすらに我慢しながら過ごしていると、所在なくぼんやりしてしまって格好がつかないような気がするので、源氏は、秋の野でも見がてらにと思って、紫野雲林院《むらさきのうんりんいん》に詣《もう》でた。

雲林院は、亡き母桐壺の御息所の兄君の律師《りっし》が籠《こも》っているお寺であったが、源氏はそこ

で経典などを読誦《どくじゅ》し、また朝夕に勤行《ごんぎょう》などをしたいと思って、二、三日逗留《とうりゅう》したのであった。そのうちには、しみじみと心に沁《し》みることばかり多かった。

木々もようよう紅葉《もみじ》して、秋の野は、たいそう風雅に彩られているのを見ては、住み慣れた都の邸も忘れてしまいそうに思われる。

寺では、法師たちのなかで才学に優れた者ばかりを召し出して仏道の論議をさせては、それを謹聴している。所柄か、源氏も、現世の無常さを深く思い巡らしてはまんじりともせずに夜を明かしたりもする。こんな無常の世に、恋心に執着したりするのは、無意味の上にも無意味だと理性では分かっているのだが、それでも、心はあのつれない人、藤壺の宮に恋着《れんちゃく》して、ああ逢いたいと思わずにはいられない。その思いのうちに夜が明けてくると、「天《あま》の戸をおしあけがたの月見れば憂き人しもぞ恋しかりける（あの天上の戸を押し開けて夜が明ける、物思いに寝られぬままに、その明け方の月を見ると、こうして物思いをさせるあの人が恋しくてならぬ）」という古歌なども彷彿《ほうふつ》と思い起こされるのだった。こうしてその「憂き人」のことばかり思いやられる「押し明け方」の月光のもとで、法師たちが仏に閼《あ》伽《か》の水を奉《たてまつ》るというので、金椀《かなまり》を濯《すす》ぐ音をカラカラとさせているのが聞こえてくる。やがて、菊の花やら濃き薄き紅葉やらを折り散らしているさまも、ささやかなことながら、かく仏に奉仕する営みを見ていると、無常の現世《うつしよ》も生きている甲斐があるような心持ちもし、また死んでの後も、往生《おうじよう》の素懐《そかい》を遂げることができそうに思われて、なんだか頼もしくも感じるのであった。

〈こうして一心に仏に仕える人もあるというのに、この私は、なんとまあ情《なさけ》ないことに身を持て余しているものだ〉と、源氏は思い続けた。

律師が、いかにも朗々と尊い声調で、

「念仏衆生《ねんぶつしゆじよう》、摂取不捨《せつしゆふしや》」

と、長く引き延べて唱えるのを聞くにつけても、源氏には、あの僧侶《そうりよ》の身が羨《うらや》ましくてならぬ。

〈いったい、どうして自分にはああいうふうに出家の志が遂げられぬのであろう、いやいや、そんなはずもあるまいが……〉と思ってみると、どうしてもやはりあの紫上のことが心にかかって思い出されるのだった。

なんとまあ、悪い心がけであろうか。

かくて、源氏は、例になく長い日数《ひかず》にわたって紫上への訪れを途絶えさせていたが、それもやはりなんとしても気がかりに思われるとみえて、ただ手紙ばかりはしげしげと通わせているようであった。
「もしや俗世を思い離れられるかもしれないと、試みにここに来てみましたが、結局、日々の所在ない辛さも慰め難く、ただただ心細い思いだけがまさります。ただ、仏の教えについて、まだいささか聞き残していることもありますので、なおぐずぐずしていますが、このところは、どんなふうに過ごしておいででしょうか」
などという文面を、殺風景な陸奥紙《みちのくにがみ》に、さも気楽な筆遣いで書いて送ってくる。そういう臨機応変な文の書きようも、さすがに見事なものである。この文のうちに、こんな歌が添えてあった。
「浅茅生《あさぢふ》の露のやどりに君をおきて
四方《よも》の嵐《あらし》ぞ静心《しづこころ》なき
浅い草原のような殺風景なところ、しかもその草の葉に露が宿るような当てにならないところに、そなたを放ったらかしにして、あたり一面に嵐が吹きつけてくるような日々ともなると、一時も心が安まらぬことだよ」

などと愛情細やかに書いてあるので、これを読んだ紫上は、さすがに声を上げて泣いた。そしてその返事には、これも敢えて真っ白で殺風景な紙に、

風吹けばまづぞ乱るる色かはる
浅茅《あさぢ》が露にかかるささがに

こうして風が吹いたなら、真っ先にわたくしの心は乱れます。だって、この嵐にかれがれと色の変わってしまう草原の葉末に置く露に架け渡してある蜘蛛の糸のように、いつお心が変わってしまうかもしれない方に命をお預けしているわたくしなのですから

と、一首の歌だけが書かれてあった。

この返事を見ながら、

「おお、筆づかいはほんとに見事になってきたものだな」

とひとりごち、内心には〈かわいい人だ〉と思って源氏は微笑んだ。いつもこうして、手紙をやりとりしているので、いつのまにか源氏自身の筆跡にとてもよく似た字を書くようになっている。しかも、そこに、もう少し優婉《ゆうえん》な、いくらか女らしい風情《ふぜい》が加わっている。

〈何事についても、欠けたところもなくうまく育ててきたものだな〉と源氏は満足に思った。

源氏、朝顔の斎院にも文を通わす

朝顔の斎院は、雲林院から程近い紫野《むらさきの》の宮に移っているので、風も吹き交わすほどの所ゆえ、源氏は、ことのついでに朝顔の斎院にも手紙を送った。まずは、近侍の女房、中将の君に、

「こんなふうに、旅の空にさまよい出ておりますのは、あなたへの物思いのために、魂がさまよい出てしまったからなのですが、そんなことは、きっとご存じありますまいな」

などともっともらしい恨みごとなど書いて、とりあえずご機嫌《きげん》をとっておく。その上で、この中将を仲立ちとして、斎院に送った文には、

「かけまくはかしこけれどもそのかみの
秋おもほゆる木綿《ゆふ》襷《だすき》かな

口にかけて申すのは恐れ多きことながら、この枝にかけた白木綿《しらゆう》につけましても、
いつぞやの秋のことが思い出されます
もう過ぎ去った昔を今に取り返したいと思っております甲斐もなく、無為《むい》に日々は過ぎてしまいましたが、それでもなお、昔の契りを取り返すこともあるやもしれぬと存じまして」

と、いかにも昔深い契りでも結んだかのような、なれなれしい調子で書いてあって、それも唐渡《からわた》りの浅緑《あさみどり》の紙に書きつけてあるのを、わざとらしく榊の枝に白木綿を結んだところへ結いつけるなど、斎院だけになにやら神々《こうごう》しい雰囲気を出して届けたのだった。

その返事。まず中将の君からは、

「この斎院に参りましてからは、ただもう斎戒沐浴《さいかいもくよく》の清らかな生活にて、何といって気の紛れることもなく、その所在なさを紛らすにつけましても、昔のことをただ思い出しては、遠いあなたさまのことを、あれやこれやと思いやっておりますが、そんなことをしても、何の甲斐もなきことでございます」

云々と、これはまた少しく心を込めて長々と書いてあった。そして斎院の返事は、源氏

のほうから送った白木綿の片端に結び文が付けてあった。

「そのかみやいかがはありし木綿襷《ゆふだすき》
心にかけてしのぶらむゆゑ

その「昔」と仰せですが、いったい昔何があったのでございましょうか、木綿襷どの、襷だけに、なにやらあなたのこころに掛けて偲《しの》んでおられるようなわけでもございましょうか

ましてや、この頃には何事もございませんものを」

とにべもないことが書いてある。

〈ふむ、この筆跡は情趣に富むとまでは言えないが、なかなか書き慣れていて、草体《そうたい》に崩した万葉仮名《がな》など上達したものだ。筆もこれだけ大人びて達者に書くようになったのだから、ましてや、朝の顔なども、さぞ大人っぽくなったであろうな〉と源氏は想像して、女として意識している。恐れ多くも斎院に対して恋心をうごめかすとは、まことに罰当たりで、恐ろしいことである。

〈ああ、そうであった、あれはちょうど去年の今ごろのことだったが……〉

源氏は、嵯峨野の野宮で、あの御息所と切なく別れたことを思い出していた。

なんと理解に苦しむことに、かくも同じように、恋の妨げになっている神を恨めしく思ったりする、この源氏の心の癖の見苦しさよ。もし源氏がどうでも一緒になりたいと願うなら、それはいかようにも出来たはずの年頃には、なにも思わずいい加減に過ごしてきて、いざ手の届かないところに行ってしまうとなると、急に惜しくなって、そのことを悔しく思ったりするように見えるのも、いかにも奇怪な心がけだと言えぬだろうか。

こたびの朝顔の斎院も、こういうふつうでない源氏の心がけを見知っているので、ごくたまに源氏から文が到来した時には、やっぱり知らん顔ばかりもできなくて、それなりに返事を書いたりするようであった。

神に仕える聖職にある身として、俗世の男に文を返すなど、いささかけしからぬことではあったけれども……。

源氏、二条院に帰る

天台宗の六十巻と称せられる教典をあれこれと読む中で、その難解なところを法師に講釈してもらいなどしつつ、源氏はなお雲林院に留まっている。そのこと自体、こんな山寺にとっては、まさに光がさしたようなもの、それも日頃の勤行のご利益にして、当寺ご本《ほん》尊《ぞん》の面目躍如《めんもくやくじょ》たるものがある、と下々《しもじも》の法師までが欣喜雀躍《きんきじゃくやく》というところであった。しかし、源氏自身は、心静かに世の中のありさまを思い続けてみるに、今さらあの都に帰るということも気が進まないけれど、ただただ、紫上一人のことを思いやることが悟道《ごどう》の妨げともなって、やはりここに長く留まることはできなかった。そこで、源氏は、誦経《ずきょう》を荘厳《そうごん》に執行《しゅぎょう》させて、その布施《ふせ》を奉納してここでの生活をひとまず納めることにした。誦経に際しては、上下たくさんの僧侶たちはもとより、そのあたりの山の民にまで、なにくれとなく物を賜《たまわ》り、善根功徳《ぜんごんくどく》となるようなことを、力の限りに施して帰途についた。

都へ帰っていく源氏をお見送りするというので、どこにもここにも、はては賤《いや》しい柴刈りの者どもまでが参集して、落涙《らくるい》しながら見送っているのであった。

源氏は、服喪中とあって黒い車を牽《ひ》かせ、自身は粗末な喪服に姿を窶《やつ》して乗っている。その姿は外からははっきりも見えぬけれど、御簾の隙間あたりから、かすかに見えるところだけを見ても、誰もがみな、世に並び無い美しさだと思い思いしているようであった。

藤壺に贈った山土産《やまづと》の紅葉の枝に

帰ってみると、紫上は、ほんのしばらくの間に、またいっそう大人っぽくなった感じがする。その振舞いもたいそう落ちつきが出て、この先自分たちの妹背《いもせ》の契りはどうなっていくのであろうかと思っている様子が、痛々しくもあり、かつはまた心惹かれもする。〈道ならぬ我が心の、こうもあれこれと乱れているのが、分かるのだろうか……〉と思いめぐらしては、先の手紙に書かれてあった「風吹けばまづぞ乱るる色かはる……」という歌もなにやらいじらしい感じがして、源氏は、いつもよりいっそう思いやり細やかに、紫上と語り合うのであった。

雲林院から山土産《やまづと》として持ってこさせた紅葉の見事なこと、御前《おまえ》の庭のそれに比べて一段と色濃くて、こんなふうに殊更《ことさら》豊かに色づかせてくれた露の心ばえも見過ごしてはおかれないし、またご無沙汰もずいぶん久しいことになって、こんなに知らん顔では却って人が怪しむかもしれないという思いもするゆえ、かれこれこの紅葉の枝を、源氏は、ありきたりの時候の挨拶、とでもいうような風情で、藤壺中宮のもとへ届けさせた。

王命婦に宛てて、

「中宮さまが参内されるのも珍しいことだと承り、東宮さま中宮さまのご近況もなかなか知り難く、わたくしとしては、ご心配を申し上げておりましたが、仏道の修行に努めようなどと思い立ち、当初考えておりました日数《ひかず》の通りには、なかなか進まずにおりましためにに、ずいぶんと長いことになってしまいました。この紅葉は、私一人で眺めておりましても、かの古歌『見る人もなくて散りぬる奥山の紅葉は夜の錦なりけり（誰も見る人もないままに散ってしまう奥山の紅葉は、夜の闇に錦を着るようにはりあいがないことであるな）』に歌われた夜の錦のようなもったいなさを覚えますので、ここもとお目にかけたく、よい折を以《もっ》て中宮様のご覧に入れてくださいますように」

などと書いて贈った。

じっさいすばらしく見事な枝であったから、藤壺もすぐに目を留めた。が、よく見ると、そこに「ちょっとしたもの」が結びつけてあるではないか。あたりには女房たちの目もうるさいというのに……あ、こんなところに文が……藤壺の顔色が、さっと変わった。

〈いまだに、こんな執着心が絶えぬものとみえる。こういうところは、ほんとうに嫌らしい……日頃何ごとにかけても、あれほど思いやりが深くておいでなのに、惜しむらくはこんなことを、時々、思いもかけない時になさる。女房たちが見咎めることもあろうものを〉と、うんざりした思いで手早くその結び文のみ抜き取ると、その枝を瓶《かめ》に挿させて、廂《ひさし》の間《ま》の柱のそばに押し遣《や》ってしまった。

藤壺のほうからは、通常の用件、また東宮に関するあれこれの用事などについては、ともかくにも源氏を後ろ楯として頼みにするという立場で、味も素っ気もない文章で返事を書くことはあったが、〈おやおや、こんなふうに冷淡に、どこまでもつれなくなさることか〉と、藤壺からの返事を、源氏はうらめしく見る。けれども、いままで藤壺と東宮の後見役として、何事も懇ろに世話をしてきたのであってみれば、いまさらここで自分から冷淡な態度などを見せれば、周囲の人々はみな「変だぞ」と見咎めるだろうと思って、敢えて藤壺が宮中から退出するというその日に、源氏は参内したのであった。

源氏、参内し、帝の御前に

まず内裏の帝の御前《ごぜん》にまかり出てみると、帝は折からのんびりと過ごしておられ、昔や今のこと、あれこれの物語をした。朱雀帝は、父桐壺帝にたいへんよく似ておられ、父帝よりもう少し飾り気のない親しみが増って、人懐《なつ》こく和《なご》やかな感じがする。源氏と帝は兄弟どうし、お互いに好意を持って顔を見交わされる。

実は、帝は朧月夜の尚侍のことについても、まだ源氏との縁が続いているらしいということを聞いておられ、折々はその気配をお感じになっていることもあるのだったが、〈なに構うものか、今になって始まったことでもあるまいし、もう昔からのことで……そんなふうに情を交わすことが、似つかわしくないという人でもないのだし〉と寛大なお心を以《もっ》て、不問に付しておられる。

そのほか、四方山《よもやま》の世間話やら、学問上のことで不審のある点などについて源氏の教えを乞《こ》うやら、あるいは色好みの歌のあれこれを語り合うやらと、腹蔵《ふくぞう》なくお話をするなかに、あの斎宮が伊勢に下向するときの挨拶に参内した日のこと、その容貌の美しかったことなど、帝は打ち解けてお話しなさるので、源氏もつい心を許して、あの御息所と野宮で別れた曙《あけぼの》のことも、みな申し上げてしまったのであった。

二十日の月が、夜も更けてからやっとさし昇って、折しも晩秋九月、しみじみとした風情が横溢《おういつ》しているので、帝は、

「管弦の遊びなどもしてみたい良夜だね」

と仰せになる。が、源氏は、ここでのんびり合奏などしているわけにはいかない。

「中宮さまが今宵ご退出になると承りますれば、そのご用など伺《うかが》いにまいらなくてはなりません。故院がご生前、くれぐれもわたくしにご遺言なさったことでもあり、中宮さまにはわたくしをおいて他には後見役を務める者もございませぬようでございますから、……いえ、その、なにぶん東宮さまのご縁とあって、たいそう気がかりに存じておりますところで……」

「そういえば、故院は、東宮を私の養子《ようし》にしたらよかろうなどご遺言なさったゆえ、私もとりわけ心がけてはいるものの、もう東宮になられたことではあり、私があまりあからさまに特別扱いをしてなにかをするということも、どんなものかと思って遠慮してきたのだ。しかし、東宮は、年の割には、筆跡などが格別に優れているようだし、院のご遺言どおりにすれば、何事にもあまりはかばかしい取り柄のない私自身の名誉にもなることだろうとは思うのだが……」

朱雀帝がそんなことを仰せになるので、源氏は、言葉を継いだ。

「おおむね、なにをなさいましても、たいそう聡明でご成長著《いちじる》しきものがありますが、まだまだ、いずれも十分とは申せません」

などと、東宮の成長のありさまなどもお話しして、すぐに御前《ごぜん》を退《しりぞ》いた。

頭の弁、源氏批判の文を朗唱す

弘徽殿大后の兄、藤大納言《とうだいなごん》の子に頭《とう》の弁《べん》という者があったが、いまを時めく右大臣の嫡孫《ちゃくそん》ではあり、かれこれ時勢がら華々しい若人《わこうど》で、何も恐いものはないのであろう……この者が、これも朱雀帝の女御である妹の麗景殿《れいけいでん》の君《きみ》の許へ行く途中、たまたま源氏が退出するので、控え目に前《さき》を追わせているところに遭遇する。そのとき、頭の弁は、そこにしばし立ち止まり、

「白虹《はくこう》日を貫けり。太子畏《お》じたり（白い虹が太陽を貫いている。太子は恐れた）」という『史《し》記《き》』の一節を、たいそう悠然とした調子で聞こえよがしに朗誦《ろうしょう》してみせた。〈東宮を担《かつ》いで帝に叛逆《はんぎゃく》を企《くわだ》てても事はなるまいぞ〉という内意を、源氏に聞かせようとて、当てこすったのである。

これを耳にして源氏は、心底《しんてい》厭わしく思った。しかし、これを今咎めだてすることな

ど、できることではなかった。

弘徽殿大后のご機嫌は、甚《はなは》だ恐ろしげで、状況はすこぶる悪いという風評のみ聞こえてくるばかりか、いまこの頭の弁のように大后親縁の人々も、露骨に面《おもて》に顕わしてあれこれと非難するらしいこともある。源氏は、なんという鬱陶しいことだろうと思いはしたけれど、あえて知らぬ顔をして過ごしている。

源氏、藤壺に面会

藤壺のもとに至ると、源氏は、こう口を開いた。

「帝の御前に伺候《しこう》しておりまして、すっかり遅くなり、今まで夜を更かしました」

月は、皓々《こうこう》と中天《ちゅうてん》に輝いている。

〈……かつて亡き院のお側《そば》で過ごした頃、こんな良夜は、かならず管弦の御遊《おんあそ》びを催《もよお》されて、私などもお相手を仕《つかまつ》るなど、ずいぶん花々としたもてなしをしてくださった〉などと、藤壺は過ぎし昔を思い出すに、同じ宮中とは言いながら、なにもかも変わってしまったことのみ多くて悲しくてならぬ。

九重《ここのへ》に霧や隔《へだ》つる雲の上の
月をはるかに思ひやるかな

幾重にも幾重にも霧が隔てているのでしょうか。
今はすっかり雲の上の月のように遠くなってしまわれた帝をはるかに思いやっております

藤壺は、こんな歌を、王命婦を取り次ぎにして源氏に詠み贈った。といっても、実際は、すぐそこにいるので、藤壺その人の気配が、ほのかながら、たしかに伝わってくる。源氏は、今の身の上の辛さもついつい忘れて、涙がまず落ちた。

「月かげは見《み》し世《よ》の秋にかはらぬを
隔つる霧のつらくもあるかな

あの月の光は、昔見たあの頃と少しもかわりませんが、
その光を、隔て妨げて見えなくしている霧は、まことに心ないことでございます

古い歌に『山桜見にゆく道を隔つれば霞《かすみ》も人の心なるべし（あの山桜を見に行く道を隠して見せぬようにしているとは、さぞ霞も人の心のように意地悪いものでしょうね）』とございます

とか、さては昔にも、こういう隔てはあったことでございましょうか」

などと言って、歌を返した。

藤壺は、東宮といつまでも一緒に過ごしたいと思ったけれども、そうもいかない。せめて、あれこれと心を込めて言い聞かせるのだが、まだ幼い東宮はそれを深く理解したとも思えない様子であったから、藤壺は、これから先のことが案じられてならないのであった。

いつもならとても早い時間に眠りにつく東宮であったが、母宮がお帰りになるまでは起きていようと思うのであろう、なかなか床に就かない。やがて母宮が帰っていくのを恨めしく思ったけれども、さすがに帰らないでと駄々をこねたりはしない。幼いながらも帝王たるべき心得を弁《わきま》えていることを、藤壺はしみじみと心を動かされながら見たことであった。

朧月夜の尚侍より音信《おとずれ》来たる

源氏は、あの頭の弁が誦《ずん》じていた詩句を、つらつらと思いみるにつけても、さすがに不義のことが心を責め呵《さいな》み、この俗世がすっかりわずらわしく思え、朧月夜の尚侍にも文を送らぬまますいぶん久しい時が過ぎた。

初時雨《しぐれ》が、はや秋も暮れるという気配を知らせて音ずれると、いったいどう思ったのであろう、朧月夜のほうから、音信《おとずれ》が至った。

木枯らしの吹くにつけつつ待《ま》ちし間《ま》に
おぼつかなさのころも経にけり

木枯らしが吹くにつけて、ああ風の便りでもと待ち続けておりますうちに、もう待ちどおしい気持ちでいる頃も過ぎてしまいました……

こんないじらしい歌を、寂寞《せきばく》たる晩秋の折も折、しかも人目を忍んでこっそりと書いてきてくれた朧月夜の心のほども嬉しくて、源氏は、文の使いの者をそこに待たせて、すぐに返事を書くことにした。唐渡《からわた》りの料紙をしまってある厨子《ずし》を開けさせては、そのなかからとりわけ風情豊かな紙を選び出して、また筆先の調子などもことのほか念を入れて調《ととの》えている様子は、いかにも恋人に書き送る文という感じなので、近侍の女房たちは、〈あれ、どなたへのお手紙かしらね〉と、目引き袖《そで》引きするのであった。

「お手紙を差し上げましても何の甲斐もないことに懲《こ》り懲《ご》りいたしまして、すっかり心折れてしまいました。あの、古歌に『数《かず》ならぬ身のみ物憂《う》く思ほえて待たるるまでもなりにける哉《かな》（取るに足りないつまらぬ男だと、逢って頂けない我が身の辛さに、お便りもせずにおりましたが、いつの間にか、却ってあなたに待たれるほど、久しい時が過ぎてしまいましたなあ）』と歌われた心のような辛さにて、

あひ見ずてしのぶるころの涙をも
なべての空の時雨とや見る

逢うことができずに、辛さを堪《た》え忍んでいるわたくしの涙を、
ありきたりの秋空の時雨だとご覧になりますのでしょうか

もしこうして文で心が通うのでしたら、どんなに物思（ながめ）に泣き暮らしている長雨（ながめ）の空の辛さも、ふと忘れることができましょう」

などなど、情も細《こま》やかな文体《ぶんてい》になってしまうのであった。

かにかくに、折々の便りにつけて源氏の心を動かそうとする女たちはたくさんあったよ

うだが、だれに対しても、情知らずだと思われない程度に返事だけは書いて、ただし、源氏の心の奥深くまでそれらの文が染《し》み入るということはないのであったろう。

桐壺院の一周忌

中宮は桐壺院の一周忌の法要に続いて、法華八講《ほっけはっこう》の準備にも心を砕いて過ごしていた。その霜月《しもつき》の初《はじ》めのころ、まさに院のご命日に当たって、雪がみっしりと降った。源氏は藤壺に歌を贈る。

別れにしけふは来《く》れども見し人に
ゆきあふほどをいつとたのまむ

お別れした今日という日は、こうして雪のうちに巡ってきましたが、
亡き人にもういちど行き合うのは、いつの世と思って頼みにしていたらよいのでしょうか

いずこでも、こんな日は物悲しく思うところゆえ、藤壺からもさっそく返事があった。

ながらふるほどは憂けれどゆきめぐり
今日はその世に逢ふここちして

こうして無駄に生き長らえておりますのは辛いことですが、やがては何度でも世々を行き巡って再会することが叶いましょう。雪のふる今日のご命日には、ちょうどその再会の世に逢った気持ちがいたします

取り立てて飾り作った書き振りでもないのだが、いかにも貴《あて》やかで気高い感じがするのは、源氏の思いなしなのでもあろう。藤壺の手筋は、いわば独特の風格があって、派手なところはないのだが、余人とは格別の味わいである。さすがに、今日という日一日は、源氏も藤壺への思慕《しぼ》を抑えて、このしみじみとした雪の滴《しずく》に濡れ、涙に濡れして、勤行を続けたのであった。

藤壺、出家す

十二月十余日《しわすじゅうよにち》。中宮の方で、法華八講《ほっけはっこう》が催された。まことに尊い雰囲気である。

毎日に供養させている御経《おんきょう》をはじめとして、経典の悉《ことごと》くに立派な装訂《そうてい》を施《ほどこ》してある。碧《へき》玉《ぎょく》で飾った巻軸《かんじく》、薄絹で蔽《おお》った表紙、巻物をくるむ御簾《みす》の装飾にいたるまで、世に比類なきほど立派に、それらはでき上がっていた。おしなべての催しでも、輝くばかりに用意するという藤壺の心がけゆえ、ましてや、亡き院の一周忌とあっては、一段と荘厳《しょうごん》を尽くしたのは、当然のところであった。経典ばかりか、ご本尊の金色《こんじき》の装飾、花籠を置く机の錦の蔽《おお》いに至るまで、どれもこれも、これぞまことの極楽かと思われるくらいの美しさであった。

初日の供養は藤壺にとっての父君、先の帝の御《おん》ために、次の日は母后《ははきさき》の御ために、三日目は桐壺院の御ため、しかも法華経のなかで最もありがたい第五の巻を講ずる日とあって、上達部なども、大勢押しかける。時勢がら、藤壺の主催する法会《ほうえ》に列席すれば、右大臣かたに睨《にら》まれるかもしれないということなど度外視して、われもわれもとお参りするのであった。

今日の講師《こうじ》は、とりわけて高徳の僧を選んだので、五の巻「提婆達多品《だいばだったぼん》」の冒頭、仏陀が薪《たきぎ》を切って提婆に奉仕するところから取り掛かって、おなじみの経文なのだが、いつにも増して、とりわけ尊く感じられる。列席の親王《みこ》たちも、さまざまの供物を捧げて本尊のめぐりを行道《ぎょうどう》するのだが、やはり源氏の用意の見事さは格別で他の追随《ついずい》を許さない。いやはや、毎度源氏礼賛《らいさん》ばかり申すようながら、見るたびに礼賛したくなる様子なので、こればかりはいかんともすることができぬ。

八講《はっこう》の最終日、四日目には、藤壺は自分自身の往生を祈願して、これを限りに俗世を捨てて出家したいということを、僧の口を借りて仏に申し上げた。あまりに突然のことで、参列の人々はみな驚いた。

兄宮兵部卿の宮も、源氏も、みな動転して、いったいどういうことかと茫然《ぼうぜん》たらざるを得ぬ。なかにも、兄宮は、まだ法要も果てぬというのに、藤壺の御座《おまし》の内に立ち入って、その本意を確かめようとした。すると、藤壺は今回の決意が固い固いものであることを明かし、この法会《ほうえ》が果てるころに、比叡山の座主《ざす》を召して受戒《じゅかい》すべきことを決然と述べた。

やがて、藤壺の伯父君にあたる比叡山の横川《よかわ》の僧都《そうず》が近くへ進み出でて、ただちに長き黒髪を肩のあたりで切り取ると、宮は尼の姿に様を変える。これを見ては、御殿の内ことごとく大騒ぎとなり、不吉なまでの慟哭《どうこく》が響き満ちた。これがさしたる身分でもない人で、しかももう耄碌《もうろく》した老人であっても、今はこれまでと世を捨てるということになれば、やはりどういうものか胸の痛むことがらであるのに、まして、藤壺の宮はこんな宿志《しゆくし》があることなど、今までおくびにも出したことがなかったので、兵部卿の宮も、さめざめと泣いている。参列している人たちも、それでなくともその法会の空気の尊さに胸打たれているうえに、かかる大事に際会して、みなみな袖を涙で濡らして帰っていった。

故桐壺院の皇子《みこ》がたは、父院が生前この藤壺の宮をいたく寵愛されていたことを思い出すと、今この変わりように胸衝《つ》かれて悲しく、誰も誰も藤壺の許を訪れて、懇《ねんご》ろに言葉をかけた。が、源氏は、すぐには藤壺の御座にも参らず、その場に残っている。そして、言うべき言葉も思い付かず、ひたすらおろおろとくれ惑うていたが、そんな様子をもし人が見たら、いったいどうして源氏だけはお見舞いをしないのかと不審を立てるに違いないと思って、兵部卿の宮などの退出したあと、藤壺の宮の御前《おまえ》に参ったのであった。

やっと、人々の気配も静まり、女房たちは、ぐすぐすと鼻をかみながら、あちこちに群れて座っている。

月光は皓々《こうこう》として隈《くま》無く、雪の照り映えている庭のありさまも、こよなく昔を思い出させる。これにも、源氏は堪《た》え難い悲しみを覚えたが、それもよくよく心を鎮めて、口を開いた。

「さて、どう思い立たれて、こんなふうに様を変えられたのでございますか」

藤壺は静かに応《こた》える。

「今初めて思い立ったということではありません。もう以前から心に潜《ひそ》めて思っておりましたが、さきほどのように人々が驚き悲しみなどされるのを見ては、なんだか決心も揺らぐような思いがいたします」

など、その思いは、いつもの通り、王命婦を通じて伝えられる。

御簾のうちの気配が伝わってくるのを聞けば、ずいぶんたくさんの女房たちが近侍しているらしく、衣擦《きぬず》れの音がしきりとして、なにやらそろそろと身動きする様子である。そして、悲嘆にくれる心の慰めがたく、すすり泣く気配などもしてくる。源氏には、それももっともだがひどく悲しいことだと思われた。

風が強く吹き通《とお》ってくる。その風に乗って御簾のうちの薫物《たきもの》の匂《にお》いがしてくる。いかにもしみじみと深みのある黒方《くろぼう》の香《こう》に混じっては、また仏の供養に焚《た》いた名香《みようごう》の香《か》もほのかに感じられる。そこへ、源氏の衣に焚き染めた薫物の香《か》までも立ち混じって、さながら極楽浄土の思いやられるような夜のさまであった。

そこへ、東宮からのお使いも到着する。

藤壺は、先の日、東宮があどけなく話していたその様子を思い出してしまうと、さしも固い決心もぐらつき、ただちにはお返事も申し上げることができない。源氏は見かねて、藤壺の代わりに言葉を添えて東宮の使者に伝えさせた。

誰も誰も、一人残らず心が鎮まらない折から、源氏には思いの丈を口に出すことも憚られる。

「月のすむ雲居《くもゐ》をかけてしたふとも
この世の闇になほやまどはむ

月の住む、あの清らかに澄む空を心にかけて、ご出家の跡を慕い自らも世を捨てたいとは思うのですが、子ゆえの闇、この世の闇に、なおわたくしはくれ惑うことでございましょう

とこんなことを思うておりますのは、まことに何の甲斐もない無駄ごとでございます。しかるに、立派にご出家を思い切られましたお身の上の羨《うらや》ましさは、限りないことでございます」

と、源氏は、ただ『人の親の心は闇にあらねども子を思ふ道にまどひぬるかな』という名高い古歌を引きごとにしながら、子を思って悲しむ心への同情を藤壺に伝えたばかりで、千々に乱れる心のうちのこまごまとしたことは、近侍の女房たちの目もやかましいことではあり、とうとうはっきりとは口に出すことができず、恋しさに気が塞《ふさ》いでしまう。

「おほかたの憂きにつけてはいとへども
いつかこの世を背《そむ》き果つべき

何につけてもこの世は辛いことばかりだと思って世を捨てましたが、心はまだ迷いばかりで、いったいいつになったら本当の意味で、世を捨て切ることができるものでしょうか

私の心は月のように澄むどころか、あれこれ濁《にご》りばかりで……」

こんな返事をよこしたのは、一部分取り次ぎの女房が心配りして繕《つくろ》っているのであろう。

この返事に接しても、ただ悲しみばかりが募り、胸の苦しみにひしがれながら、源氏は退出していった。

源氏もひたすら出家を願うが……

二条の邸に戻ってからも、源氏は、東の対《たい》の自室に独りうち臥《ふ》し、といって眠ることもできず、こんな世の中が厭《いと》わしく早く世を捨てたいと思う。けれどもまた、東宮のことだけは、どうしても気がかりでならないのであった。

〈ああして、父院さまが、せめて東宮の後ろ楯にもということで藤壺の宮を中宮の位におつけになったのに、世の辛さに堪えかねて出家してしまわれた以上は、もはや中宮の位に留まっていることはむずかしかろう。そのうえ私までも東宮を見捨ててしまったら……〉

などと夜通し思いは休まらない。

しかし、〈もはや藤壺の宮の出家は打ち消しようもないことだから、今は仏道修行に向けてなにかと調度品などを調《とと》えてさしあげなくては〉と、源氏は思い、その手配を年内にもと急がせる。

王命婦も、藤壺のお供として尼になったので、源氏は、そちらのほうにも懇ろな見舞いを贈った。

その一々の品物や文書の往来などについては、詳しくここに述べるのもあまり大げさなことになるので、語るのを省いてしまったようである。しかしながら、こんな折にこそ、とかく面白い歌なども贈答されることも多かろうにと思うと、まことに物足りぬ次第である。

藤壺が出家して尼になってしまったからには、もはや男女《おとこおんな》の仲を疑われる虞《おそれ》もなくなり、今では源氏の心に藤壺のもとへ参上することへの気がねも薄らいで、間《あいだ》を取り次ぐ女房などもなく直接に言葉を交わす折々もある、変われば変わる世であった。そのいっぽうで、内に思い凝《こご》った恋心は、けっして源氏の心から離れることはないが、そのことを行動にあらわすなどということは、こうなった今、あってはならないことであった。

新年、源氏、三条の邸に藤壺を見舞う

新しい年が明けた。

内裏あたりでは、華やかに、帝から臣下に賜《たまわ》る新年の宴《えん》やら、男踏歌《おとこことうか》・女踏歌《おんなとうか》など祝福の楽儀が御殿を巡っていく音が聞こえてくる。去年までは、その宴に侍《はべ》りもし、また踏歌

の楽人《がくにん》たちを迎えもしたのだが、今年は、もはや遠い世界のこととなった。藤壺は、ただただ悲しいばかりで、勤行をしめやかに続けながら、ひたすら後《のち》の世のことばかり思っている。すると、なんだか後世《ごせ》のことにも希望が感じられて、世俗の煩わしいあれこれは、次第に心を離れていくように思われた。

それまでいつも念誦《ねんじゅ》をしていた持仏堂《じぶつどう》はそのままに置いて、さらにもう一つ建立《こんりゅう》した御堂が西の対の南にあったが、藤壺は、その少し離れた新しい御堂のほうに渡っては、特別に念を入れた勤行に励んでいる。

そこへ源氏がやってきた。

中宮の御所には、新年らしい晴れやかな空気もなく、この御殿のうちはのんびりとして人気《ひとけ》も少なく、ただ中宮職《ちゅうぐうしき》の司人《つかさびと》どものなかで、見知った者ばかりが、しょんぼりとうなだれているのは、心なしかいたく沈痛な様子に見える。ただ、恒例の白馬《あおうま》の節会《せちえ》に牽《ひ》かれた馬だけは、むかしに変わらず中宮の邸までご披露があったので、女房たちは見物したことであった。

かつて故院ご在世のころは、上達部なども押すな押すなとばかりここに集い来たものだったが、今はこの三条の中宮の邸の前を避けるようにして、ただ向かいの二条側にある右大臣の邸に参集するのを見れば、これが世の習いとは言いながら、なんともいえぬ思いに駆られているこのごろの藤壺であった。が、いま、上達部千人にも匹敵するような輝かしい風姿を以て源氏が、思いやり深く訪ね来てくれたのを見ると、わけもなく涙ぐまれる。

客人として来た源氏も、邸うちのひどくしめやかな気配に、ずっとあたりを見回して、すぐにはことばも出ない。今までとは一変した佇《たたず》まいに、御簾の縁《へり》も几帳《きちょう》の絹もみな青鈍《あおにび》色で、その御簾や几帳の隙々《ひまひま》からちらりと見える薄い鈍色あるいは黄色い梔子《くちなし》染めの袖口など、女房たちの服装も却って飾り気のない一風情があって、またもっとはっきり見たいという気を起こさせる。

邸の外では、池の薄氷《うすごおり》もしだいに解け、岸の柳もかすかに青みて、まだ気配だけではあるけれど、さすがに季節の推移を忘れないありさまなど、あれこれと眺めわたして、源氏は名高い古歌を低く朗唱する。

音に聞く松《まつ》が浦島《うらしま》今日ぞ見る
むべも心ある尼は住みけり

「松が浦島」と呼ばれて名高いお后《きさき》さまの御所を今日初めて拝見しました。その風景が美しい

のも道理、なるほどここには、賤しい海士（あま）ではなくて風雅なお心の尼（あま）が住んでおられましたものを

こう歌う源氏の姿もまた、比類なく清艶な美しさである。

ながめかるあまのすみかと見るからに
まづしほたるる松が浦島

長海藻（ながめ）を刈る海士（あま）の住み家、いやつくづくと物思（ながめ）に沈む尼（あま）の住み家と拝見しますと、それだけでもう、涙が垂れるこのお邸のお庭の、松が浦島でございます

源氏は思い立って、こう歌いかけた。すると、もともとそう奥深い部屋でもなく、いちばん奥のあたりは仏様に譲《ゆず》って、藤壺自身はすこし手前にいるため、なんだか身近なところにいるような気分がある。

藤壺からさっそくに返歌がある。

ありし世のなごりだになき浦島に

立ち寄る浪《なみ》のめづらしきかな

松が浦島……そういえば、あの浦島は竜宮から帰ってみれば、なにもかもありし昔に変わってしまっていたとありますが、そのように、むかしの名残など何もなくなってしまった、この松が浦島に、昔に変わらず立ち寄って下さる波の、なんと珍しいこと

藤壺の尼君が、取り次ぎの者に、こんな歌を歌い聞かせている。すると、近々とした御《お》座所《ましどころ》ゆえ、その声がほのかに聞こえてくる。さすがに、声を聞けば思い忍びがたく、源氏の目に涙がほろほろとこぼれた。いやしかし、こんな風に泣いているところを、仏道修行に心を澄ましているお付きの尼たちに見られては、なんとしてもきまりが悪いので、源氏は、そのまま言葉も交わさず退出していった。その後ろ姿を見送って、尼たちは、こもごも語り合うのだった。

「あんなふうに、世にたぐいなく、お年とともにまたご立派におなりで……」

「以前、なんの気がかりもなく栄華を極めて、時の勢いに乗っておられた時分には、まったくお山の大将で、あれでは何によって人の世のあわれなども身に沁みてお判りになるこ

とだろうかと、いささか心もとなく推量していたものでしたが……」

「今は、こうしてさまざま世の荒波に揉《も》まれなさって、お考えのほどもずいぶんと深みを増していらっしゃる。どういうことのない事柄につけても、どこか心深い様子が加わっておいでなのは、よそながらお労《いたわ》しい感じがございますこと……」

などと、年輩の尼たちなどは、嗚咽を漏らしながら、源氏のことを称賛するのであった。これには、藤壺もなにかと思い出して心を動かさずにはいられない。

藤壺、源氏方の人々、不遇の日々

しばらくして、官吏の任命式の頃ともなると、世の盛衰はますますはっきりとしてきて、この藤壺の宮に仕える人は賜るべき官位も得ず、また年功序列の筋道からしても、あるいは中宮としての支給財の面からしても、当然賜るべき加階昇進なども一切お沙汰がない。これには、宮の内に嘆く輩《ともがら》がたいそう多いのであった。こんなふうに落飾《らくしょく》したとしても、すぐにも中宮の位を止《とど》めて相当の扶持《ふち》を停止《ちょうじ》されるということはない筈であるのに、この出家を口実として、あれも停止、これも停止というようなことのみ多くなった。それもとより思い切り捨てていた俗世ではあったが、ここに仕えている者たちが、こうして暮らしの拠《よ》り所を失いつつあることを悲しんでいるのを見ても、藤壺の胸の内には、癒《いや》しがたい憤懣《ふんまん》の燃えるときもある。しかし、たとえ我が身はどうなろうとも、ひたすら東宮が平穏に世継ぎの君となられるのなら、どんなことも我慢しようと、それだけを心に念じて、仏道修行をたゆみなく勤めているのであった。

誰にも知られてはならないことながら、東宮の出自については、本来危うい、また不吉な点があるので、こうして世の栄えを捨てて仏に帰依《きえ》している我が身に免《めん》じて、東宮の身に内在する罪を軽減し宥免《ゆうめん》させ給《たま》えと、一心に仏に祈願することによって、万事の苦悩をひたすらに慰めていた。

源氏も、藤壺の心中を、そのように推量して、まことに道理だと思う。源氏の本邸に仕えている人たちも、また中宮家の人々同様に、辛いことばかり立ち続くので、源氏は、もうすっかり世の中を面白からず思い、倦《うん》じはてて、つれづれと籠り暮らしている。

左大臣、致仕《ちじ》

左大臣もまた、公私おしなべて、すっかり昔とは変わってしまったので、いまではなにもかも煩わしい気がして、ついに辞表を奉《たてまつ》った。

故桐壺院が、この左大臣をかけがえのない重い後ろ楯として厚く信頼し、末長く世の柱《ちゅう》石《せき》として頼みにせよとご遺言されたことを思い合わせると、帝は、やはりこの大臣を手離しがたい人材とお思いになるゆえ、辞表などもってのほかとて、何度も受納《じゅのう》されなかったのだが、今回ばかりは、左大臣方から、重ね重ね辞職の願いを申し上げ、やっと引退が許されたのである。

かくて、今は右大臣の一家だけが、つぎつぎと昇進して留まることがない。この国の礎《そ》石《せき》として重んじられていた左大臣が、こんな風に政治から退《しりぞ》いたので、帝も心細く思っておられ、また世人《よひと》とても心ある者は誰もが嘆いていたのであった。

左大臣の子息がたも、どの方もみな、人柄が好ましくて、重い職に就き、楽しそうに過ごしていたのだが、今ではまったくしゅんとなってしまって、たとえば、三位《さんみ》の中将なども、世を悲観して思い沈んでいるさまは並大抵でない。中将の正室の右大臣の四《し》の君のところへは、それでもなお、まれまれには通っていたが、そういう扱いは右大臣家にとっては心外千万なので、心を許した婿《むこ》のうちには入れていない。この際思い知れということだろうか、今回の官吏任命の折には、何のお沙汰もなかったのだが、中将はさしてがっかりしている様子もない。

〈あの源氏の大将《たいしょう》だって、こんなふうに鳴かず飛ばずで過ごしておいでなのだから、しょせん世の中というものは、当てにならないものと見える。まして、自分のような者が不遇であっても当たり前かもしれぬ〉とまあ、こんなふうに強いて思うことにして、常に源氏のもとにやって来ては、学問も管弦の遊びも、いっしょに励んでいる。だいたいが、昔から、正気の沙汰とも思えぬくらいに、源氏に対抗してなんでもやってきたことを思い出して、中将は、お互いこうなった今も、ささいなことにつけて、あれこれと張り合うのであった。

春と秋の二度、大般若経《だいはんにゃきょう》を大勢の僧を招いて転読《てんどく》させるやら、それ以外にも、時に応じてさまざまな法会《ほうえ》などを催したりもするし、または、これという仕事もなくて暇そうに見える博士《はかせ》どもを召し集めては、漢詩を作り、または漢詩の韻字《いんじ》を当てる遊びをしたり、源氏は、およそそういう遊芸に時を過ごしては、気随気儘《きずいきまま》、いっこうに宮仕えにも出ないでいる。こんなふうに心任せに遊んでばかりいるので、世の中には、なにかと邪推しては、次第に良からぬ陰口など言い出す人もあるらしく思われた。

夏の雨がのどかに降って、所在なく過ごしているところへ、三位の中将が、しかるべき漢詩集などをたくさんに持たせて、二条の邸へやってきた。源氏も、書庫を開けさせて、いまだ開いたことのない本箱から、珍しく古い漢詩集で、しかるべき由緒のあるものを少しばかり選び出して、漢学の道に堪能《たんのう》な人々を、表立っての会合ということではないけれども、たくさん召し集めた。そのなかには学識ある殿上人《てんじょうびと》もあれば、大学寮《だいがくりょう》の博士《はかせ》もあったが、たいそう大勢集まって、それを右方と左方の二群にわけて、全員を交互にそのどちらかに振り分けた。

こうして韻塞《いんふたぎ》に興じようというのである。勝敗には賭け物《かもの》のたいそう立派なものが供せられたこともあって、みな真剣に渡り合う。

漢詩の韻字を塞《ふさ》いで、それを互いに出題し、よろしく推量して勝負を競うのである。こうして争っていくにつれて、今回は源氏が珍しい古書を持ち出して出題したせいもあって、とくに難しい問題が多くて、声望ある博士などでもなかなか的中し得ない。そうした難題を、源氏はさらりさらりと答えていく。じつにこの上もなき学才というべきであった。

「まったく、どうしてこうなにもかも足らぬところのないお生まれつきであろう。かかることは、やはり前世からの約束ごとなのであろうな、よろずの技芸すべてに人並み外れてすぐれておいでだ」

と人々は感嘆するのであった。かくて、ついに源氏の属している左方が勝ち、三位の中将の右方は負けとなった。

それから二日ほど経《た》って、中将は「負けわざ」として、勝ち組の人々を饗応《きようおう》した。この日も、それほど大げさでなかったけれど、また風流に拵《こしら》えた檜《ひのき》の容《い》れ物にご馳走を盛り、ほかにも賭け物をさまざま用意し、例のごとくに人々を多く召し寄せて、漢詩を作らせた。時あたかも、階段の下に薔薇《ばら》が少しばかり咲いて、白楽天《はくらくてん》の「甕《もたひ》の頭《ほとり》の竹葉《ちくえふ》は春を経て熟《じゆく》す、階《はし》の底《もと》の薔薇《しやうび》は夏に入《い》って開《ひら》く（甕のあたりの酒は春を経て熟成し、階段の下の薔薇は夏に入って花を開く)」という詩句を彷彿《ほうふつ》とさせている。今は夏だが、こんな景色を見ると、春秋《はるあき》の花盛りよりも、なにやらしっとりとした色香《いろか》が感じられ、そこで、君たちはうちとけた様子で音楽などに打ち興じたりもするのであった。

三位の中将の子息で、今年初めて殿上を許される八つか九つほどの子は、声もたいそう良く、また笙《しょう》の笛を吹きなどもするのであったが、源氏はこの子をかわいらしい者に思って遊び相手にしている。これは、正室右大臣の四の君の腹に生まれた次郎、すなわち二番目の男の子であった。今を時めく右大臣の血筋ゆえ、世間の人々のこの子にかける思いも大層なもので、皆が特別大切にお仕えしているのであった。それだけでなく、性格もなかなかひとかどのもので、容貌も整っているし、管弦の遊びがだんだん佳境《かきょう》に入っていくと、催馬楽《さいばら》の『高砂《たかさご》』を朗々と声張り上げて歌うところなど、まことにかわいらしい。あまりに見事であったので、源氏は、着ていた衣を脱いで、ご褒美《ほうび》としてこの子に授けた。その折の、いつもよりは興に乗って心をくつろがせている源氏の顔の色香は、また世に似るものもない。身にはうすものの直衣《のうし》、その下には単衣《ひとえ》の下着を着しているのだが、それらを通して透《す》けて見える肌艶《はだつや》は、実際の肌の色にも増して美しく見えるので、年老いた博士どもなどは、遠くから見ているだけで、落涙するほどの感激ぶりであった。

中将の次郎が、『高砂』の最後の一句、「初花にあはましものをさゆり花《ばな》の（出来ることなら初花に逢いたいものだったものを、百合の花の……）」と歌い終わる時に、父中将は、土器《かわらけ》を差し出して源氏に一献《いっこん》まいった。

それもがと今朝開《ひら》けたる初花に
おとらぬ君がにほひをぞ見る

おおそれよそれ、と待ち焦がれていた百合の初花が今朝咲きましたが、その初花にも劣らぬ君の美しさを、こうしてとっくりと拝見いたしました

こんな歌を献じられて、源氏はにっこりとしながら、その土器を受けた。そして返した。

「時ならで今朝咲く花は夏の雨に
しをれにけらしにほふほどなく

時ならぬ折に、今朝咲いた花は、この夏の雨に当たってもう萎《しお》れてしまったらしい、色美しく咲き誇るにも及ばずして

いやいや、もう私のほうはこの若君に比べれば、すっかり容色も衰えてしまいましたよ」

などと、悪ふざけをしながら、中将の歌をも酔余の戯《ざ》れ歌と聞きなせば、中将はまたその言葉尻を捉《とら》えてああだこうだと責めたてつつ、酒を無理強いしたりするのであった。

いやはや、こういう乱酔の折々に、口々に詠み出された歌もたくさんあったように見えたが、かような時に詠まれた歌はとかくまともなものではないのだから、それを一々書きつけるというのも心無い仕業《しわざ》だとか、そんなふうに貫之《つらゆき》がどこかに諌めていたことでもあるし、まずはこのくらいにしておくことにしたい。

ともあれ、こんなふうに、誰もがみな源氏のことを称賛する趣向で、和歌であれ漢詩であれ、作り続けたのであった。かくては、源氏自身も、心中少なからず自負するところがあったのであろう、

「周公旦《しうこうたん》は文王《ぶんわう》の子、武王《ぶわう》の弟……（周の聖人旦は、周の文王の子、武王の弟で）」

と、古い朗詠の句を朗々と詠じて、まるで自分が周公旦であるかのような名乗りをするのまでが、いかにも素晴らしい様子である。

……が、よく考えてみると、もし源氏自身が周公旦なのであれば、文王は桐壺院、武王は朱雀帝に比せられる、ということになるわけだが、その武王の子が成王《せいおう》で、旦は成王の

叔父に当たる……となると、朱雀帝の日嗣《ひつぎ》の皇子《みこ》の東宮は、おやおや、源氏の何に当たるということになるのであろうか、さて。このことばかりは、どうしても源氏には気がかりなところで、呑気《のんき》に歌ってはいられなかったであろう。

こういう時、藤壺の兄宮兵部卿の宮は、常に参席して管弦の楽の腕前も確かな宮ゆえ、中将ともども、源氏の相手としてはうってつけの華やかな人たちであった。

朧月夜と源氏、密会の露顕

その頃、朧月夜の尚侍《ないしのかみ》が、宮中から里下がりをしてきていた。瘧病《わらわやみ》（マラリアのような熱病）に、長いこと苦しんでいて、治療のためのまじないなどを、里の邸のほうで気楽にやろうということでお暇《いとま》を頂戴してきていたのである。そこで、加持祈禱を開始したところ、すこし小康を得たので、右大臣家では、誰も誰もうれしく思っていた折柄、またいつもの源氏の悪癖で、こういう珍しい機会だからと、互いに申し合わせながら、無理やりの算段をして、夜な夜な密会をしていた。

この君は、もともと女の盛りではあり、しかも明るく華やいだ風情をもった人であったが、折柄の瘧病のせいで、すこし面やつれして痩せ細っているのがまた、たいそう魅力的である。とはいえ、あの弘徽殿大后も折悪しくこの邸に同居している時であったから、その気配はいかにも恐ろしいのであったが、そういう危ないことになると、ますます思いを燃やすという悪い癖が源氏にはあるので、注意深く秘密裡《ひみつり》に通っていくことが、度重《たびかさ》なっている。その様子を、見つけて知っている女房などもきっとあった筈ではあるが、そんなことが表沙汰になれば、なにかとまた面倒が出来《しゅったい》するだろうと思って、敢えて誰も弘徽殿大后には注進することがない。

父右大臣もまた、まさかそんなことになっていようとは想像だにしていなかったが、ある日、雨が急に恐ろしい勢いで降り、ガラガラと神鳴《かみな》りまで鳴り騒いだことがある。その暁《あかつき》……。

右大臣家の子息たちや、皇太后付きの庶務官などが立ち騒いで、あちこちにどたばたと人音《ひとおと》がしてきた。その時、間《ま》の悪いことに源氏は朧月夜の閨《ねや》に忍んできていたのだ。暁に帰ろうと思っていたのが、この騒ぎに、出るに出られなくなった。そこへ、神鳴りに怖《お》じ気《け》づいた女房たちが、朧月夜の閨のすぐ近くまで集まってきてしまった。さあ、こうなると、源氏は困った。閨から出ることができぬ。そうこうするうちに、すっかり夜が明けてきてしまった。ああ、しまった。閨の御帳台《みちょうだい》の周囲には女房たちがみっしりと並び詰めている。源氏はドキドキして胸が潰《つぶ》れそうになっている。女房たちのなかにも、この二人の逢瀬を手引きした二人ほどは、このありさまにおろおろと暮れ惑うている。

やがて神鳴りも止み、雨は少し小やみになった。

その時、右大臣がやってきて、まず弘徽殿大后の部屋にいたのだが、折悪《あ》しくまた、ざざっと降った雨音に紛れて、そのことを源氏はついぞ認識していなかった。右大臣は、足つきも軽やかに朧月夜の部屋のある母屋《もや》のほうへずかずか入ってくると、御簾をひょいと引き上げざまに、怒鳴《どな》った。

「おい、どうだったかの。大層な大嵐だった……、あの天気にはさぞ困っているだろうと心配はしておったのだが、なかなか来られぬでな。おお、中将、宮の亮《すけ》、みんな姫君のお側におるかな」

などと言っている気配が、なにやらべらべらと早口で落ち着きがない。源氏は、こんな非常時のさなかにさえ、あの左大臣の風貌態度と、ふと引き比べては、なんという大違いだろうと、苦笑を漏らすのであった。

まったく、こんなふうに立ちながら怒鳴ったりせずに、すっかり部屋に入って落ち着いてものを言うべきものであろうに……。

朧月夜の君は、まったく進退窮《きわ》まり、御帳台からそっと躙《にじ》り出て父大臣に応対する。恥ずかしさに顔が紅潮しているのを、大臣は見咎めて、〈おや、これはまだ熱が下がり切っていないのであろうかな〉と見るや、

「どうした。まだ顔色がふつうでないぞ。まったく物の怪《もののけ》などというものは、厄介極まるものだ。もう少し祈禱を続けてやらせるべきだったかのう」

と言う。そのとき……。

右大臣の目に、怪しいものが見えた。

藍《あい》と紅《くれない》で薄く重ね染めた帯が、娘の衣に絡《から》みついて引き出てきてしまったのが目に留まったのである。

〈ややや、こいつは怪しい……〉、右大臣は思った。そこでもっとよく見ると、またぼってりした檀紙《だんし》の畳紙《たとうがみ》にかれこれの手習いなどを書き散らしたものが、几帳の下に落ちているのであった。

〈これは、いったい何であろう〉と、右大臣は、心中ドキッとして、

「その畳紙は、誰のだ。どうも、見慣れない様子の紙だが……。よこしなさい。こっちに

受け取って、じっくりと誰の手であるか見てやるほどに」

と怒鳴った。

朧月夜は胸潰《むねつぶ》れてはっと見返ると、そこにたしかに畳紙が落ちているのを見つけた。手習いは源氏の筆である。これはもう紛らわしようもない。

〈ああ、どうしよう。なんとしてもごまかしようがないわ〉と、茫然自失のていである。

いやはや、こういうときは、いかにわが子ではあっても、きっと恥ずかしい思いをしているだろうと、思いやりと遠慮があって然るべきなのだが、右大臣ともあろう人が、なんとした無神経であろう。しかし、非常に短気で、のどかなところのない人柄の大臣ゆえ、もう分別もなにもかなぐり捨てて、その手習いの畳紙を奪い取ると、几帳の中を覗き込んだ。

するとどうだ。そこにたいそう色めかしい、なよなよとした男が、開き直ったように添い臥ししている。それが、すっかり見つけられてしまった今になって、そっと顔を袖に隠してごまかそうとしているではないか。

右大臣はあきれ果て、かつはあまりのことの成り行きに腹も立てた。が、いかになんでも、この場で、面と向かって騒ぎ立てるというわけにも行くまいと、目の前が真っ暗になる思いがしたので、この畳紙を手に持ったまま、弘徽殿大后のいる寝殿のほうへ立ち去っていった。

朧月夜の君は、もう我を忘れた状態で、心臓が止まりそうに思われた。源氏も、〈ああ、困った。とうとう、こんな無用のことを重ねて、世の人の非難を被《こうむ》ることになってしまったぞ……〉と思ったけれど、それでも、女君の痛々しい様子を見ては、なにくれとなく慰めの言葉をかけている。

弘徽殿大后激怒

右大臣は、なにしろ我儘《わまま》勝手で、なにごとも胸一つにしまっておくことのできない性分であったところへ、このところはまた老《おい》の僻《ひが》みさえ加わってきたので、この不行跡《ふぎょうせき》を断罪するのにどうして躊躇《ちゅうちょ》することがあろう。結局、一部始終を弘徽殿大后にぶちまけてしまった。

「かくかくしかじかのことがあったのだ。この畳紙の手習いの字は、紛れもなく源氏の右大将の筆跡だぞ。以前のこととて、親の許しもなく勝手にしでかしたことだったが、あの男の人柄に免じて万々《ばんばん》の罪を許して、いずれはうちの婿にもと言いやった時には、おのれ、当家を蔑《ないがし》ろにして歯牙《しが》にもかけおらなかったな。それもまったく心安からぬことではあったが、まずそれはご縁がなかったのであろうと我慢しておいたのだ。姫のほうは、あんなことがあったからとて身の汚れた女だというて見捨てられることもあるまいと、それだけを頼みに、もともとの願いどおりに帝に差し上げたのだが、それでも、こちらはあのことを遠慮して、女御などの位をお願いすることもせなんだのじゃないか。そのことだって、物足りなく遺憾なことだと思っていたさえあるに、また、こっ、こんなことをしおって、情《なさけ》ない上にも情ないというものだぞ。かかる好き事は、男には珍しからぬこととは申しながら、あの源氏という男もけしからぬ心がけよのう。このことばかりでない。恐れ多くも朝顔の斎院にまで言い寄り、こっそりと恋文など通わしおって、どうやらただならぬ関係だなどと、人の噂にもなっている。そうなれば、これは天下国家のお為にもならぬことであるばかりか、ヤツめ自身にとっても良かるまじきことゆえ、やわか、そんな考えもないことをしでかすはずはないと思っておったが、……なにしろあれは当代きっての知恵者として天下に鳴り響いていることでもあるから、まさかまさか、万が一にもその心を疑わずにおったものをなあ」

などと言い立てたので、さあそうなると、この弘徽殿大后という人は、もともと徹底的に源氏を憎んでいることでもあり、満面に怒気を漲《みなぎ》らせて、

「おのれおのれ、おなじ帝と申しながら、昔からあの連中は今上《きんじよう》陛下を貶《おとし》め侮《あなど》って……辞職した左大臣なども、いちばん大事に育てていた娘を、兄にあたる陛下には差し出すことをせず、よりにもよって弟の源氏の、しかもまだほんの子どもであったものの元服の添い臥しとして取っておくなど、言語道断《ごんごどうだん》なるやりよう。しかもまた、わが妹の尚侍《ないしのかみ》をも、私はきっと入内《じゆだい》させようと思っていたに、まったく恥さらしなありさまになって、それだって、どうなんです、皆誰も彼もおかしなことだとお思いになりましたか。それどころか、あちらのほうに縁付けようとさえ思っておいでのようでしたけれど。お生憎《あいにく》に、その当ても外れて、そこではじめて尚侍として出仕もしていたようですわね。それじゃ、あまりにかわいそうだから、せめて、その宮仕えのお勤めのほうで人にも劣らぬようにお世話しよう、あ、あ、あんな憎たらしい人が見ていることでもあり、なんとして見返してやろうかと思っていたに、肝心の姫君が、私の思いを裏切って、こっそりと自分の気に入ったあちらに靡《なび》いていたとは、ああ。斎院のことだって……帝の御妻《おんめ》にだって平気で手を付けようという男ですもの、ましてや斎院くらい平気でございましょうとも。何事につけても、帝

の御為《おんため》にはどうも不安心なように見えるのは、なにぶんあちらは東宮の御治世に格別の思いを寄せている人ですからね、それも当たり前のようでございますわね」

と、歯に衣着《きぬき》せず言い募る。これにはさすがの右大臣も厭わしく思って、〈ああ、この人に話すのはやめておけばよかった〉と後悔したのであった。

「ああ、待て待て、さはさりながら、このことは、暫《しばら》く私どもの胸にのみしまっておこうじゃないか。決して帝にも申し上げるでないぞ。こんな罪深い身であろうとも、帝がお見捨てにはならないだろうとそれを頼みにして、姫は甘えているのであろう。そなたから内々《ないない》に異見して聞かせて、それでも聞く耳を持たぬようであったら、その時はこの父が責めを負いましょうほどにな」

などと改めて言い聞かせてみたが、弘徽殿大后のご機嫌はいっこうに直らない。

〈こんなふうに、一つ邸うちに私がいるというのに、厚かましくも入り込んで、あんなことをするというのは、ことさらにこちらを軽んじ愚弄《ぐろう》しようとするのであろう〉と、そういうふうに恨みなして、ますます立腹し憤慨し、〈よし、さてこそ、こういう機会にしかるべきことを構えて、あれめを失脚させてやる、絶好のきっかけが……〉と、あれこれ思い巡らしているようであった。

花散里
はなちるさと

源氏二十五歳

麗景殿の女御と妹三の君を訪う

誰も知らない、自らの心が原因となって引き起こしている恋の懊悩《おうのう》、それは今に限ったことではないように見えるが、恋とは関わりのない俗世のありさまもまた、煩悶《はんもん》し心乱れることばかりが多くなってゆくので、源氏は、なにかと心細く、もうこんな世は厭《いと》い果てて仏の道にと思うことが日々の習いのようになってしまっている。だが、いざとなれば、まずそうそう簡単に捨てられる世でもなかった。

かつて麗景殿《れいけいでん》の女御《にょうご》と申し上げていた方（朱雀帝の女御の麗景殿の女御とは別人）は、御子《みこ》たちもなくて、桐壺院崩御《きりつぼいんほうぎょ》の後は、次第に零落《れいらく》して、寂しい暮らしぶりとなっていたが、ただ源氏の心遣いに守られて、かろうじて過ごしているというところであったろう。

その妹御《いもうとご》の三の君とは、かつて内裏《だいり》あたりで少しだけ契《ちぎ》りを結んだことがあったが、源氏は、こうして逢瀬《おうせ》を遂げた女君には、その後も尽きせず心を通わせるという心がけであったので、昔の契りのほのかな名残を、今も忘れずにいる。さりとて、とりたてての通い所として扱うということはなかった。三の君は、それでも恋慕の思いに繋《つな》がれていまも思い悩んでいるらしかった。

源氏は、こうして何事につけても苦しみばかりの世に際会《さいかい》して、あれこれ思い悩むうち、ふとこの君との契りを思い出して、急に思いが抑え切れなくなった。

五月雨《さみだれ》の空が珍しく晴れた、その梅雨《つゆ》の晴れ間に、源氏はこの君の許《もと》を訪れた。

その道々、中川辺で女と歌を贈答

これという特段の支度《したく》もせず、ごく目立たぬようにして、前駆《さきが》けの者もなく、こっそりと中川《なかがわ》のあたりを通り過ぎていったが、そこにささやかな造りながら、木立などの風情《ふぜい》ただならぬ家がある。その家のうちから、よく鳴る箏《そう》を「東《あずま》の調べ」に調弦する音が漏《も》れてきた。しばらく小手《こて》調《しら》べを奏《かな》でたかと思うと、何やらん、にぎやかに弾奏するようであった。

その音に源氏は耳をとめた。

邸《やしき》のすぐ近くに門があったので、さっそく車から身を乗り出すようにして邸内を覗《のぞ》き込むと、大きな桂《かつら》の木が枝を茂らせ、風に運ばれてくる桂の枝葉の香《かお》りが賀茂《かも》の祭を思い出させるこのどこか風情のある邸の様を見て、

〈おお、ここは一度だけ通って来たことがある女の家だな〉と源氏は気付いた。そうなると、色好みの心がむずむずと動き出す。

〈もうあれからずいぶん久しいことだが、さて、覚えているだろうか〉と思うと、いささか気が引けるけれど、そのまま立ち寄らずに過ぎてしまうのも残念に思って、しばらく躊躇《ためら》っていると、ホトトギスが一声、鋭く鳴いて渡っていった。

その声が、まるで唆《そそのか》しているように思われて、源氏はすぐに車を押し戻させ、例によって、まずは惟光《これみつ》を差しつかわして、こんな歌を詠み入れさせた。

をちかへりえぞ忍ばれぬ郭公《ほととぎす》
ほのかたらひし宿の垣根に

昔を今に引き返して、思いをこらえることのできなくなったホトトギスが、
あの頃ほのかに逢瀬をいたしましたこの家の垣根に鳴いております

惟光が入っていって様子を窺《うかが》うと、寝殿《しんでん》とおぼしい建物の、西の端あたりに女房たちが

いた。そのなかに、以前聞いたことのある声も混じっていたので、惟光は、まずは咳払《せきばら》いなどしてから、源氏の歌などを伝言する。

なかでは若やいだ気配がして、いったい誰だろうと訝《いぶか》しんでいるようであった。やがて返歌が詠み出される。

郭公こととふ声はそれなれど
あなおぼつかな五月雨《さみだれ》の空

ホトトギスが語りかけてくる声はたしかに昔のあの声でございますが、
ああ、はっきりいたしませんね、この五月雨の空では

どうやら、ことさらに分からぬふりをしてこんなことを言うのであろうと見て、惟光は、

「よしよし、これはつまりあの、『花散りし庭の木の葉も茂りあひて植ゑし垣根も見こそわかれね（花が散って、今は木の葉がこんもりと茂りあってしまったから、昔ここに植えて造った垣根も、どこがそれやら見分けがつかなくなってしまった）』といういにしえの歌ではありませんが、ここがどこやら見間違えたかもしれませんなあ」と言いながら、さっさと出てく

る。

家のなかでは、女が、人知れず、恨めしくもまた残念にも思っているのだった。……いやはや、かかる場合には、まさにこのように遠慮をすべきところであった。こんなに長いこと通わずにいたともなれば、もしや他の男の通い所となっているやもしれず、かくあっさりと引き下がるのが物の道理であって、惟光としては粋《いき》な計《はか》らいというべきものであった。

〈こういう身分の女では……そうそう、筑紫《つくし》にゆかりの……あの五節《ごせち》の舞の舞姫がいたな、あれもなかなかかわいらしげな女だったが……〉と、源氏は、ふとまた別の女を思い出した。さてもさても、どんな女につけても、ねんじゅう恋心を動かしているのだから、忙しくまたご苦労なことである。

かくのごとく、年月が経《た》っても、なおこんなふうに一度でも逢ったことのある女君のことは、すっかり忘れてしまうということのない源氏の心ゆえに、かえって多くの女たちの物思いの種になってしまうのであった。

源氏、麗景殿の女御と思い出話を交わす

さて、本来の行く先……あの麗景殿の御方、そして三の君の住まいは、思っていたよりもはるかに人気《ひとけ》もなく静まりかえっているのを見ても、なにやら胸に沁《し》みるものがある。まず麗景殿の女御だった御方の部屋で、昔の思い出話などあれこれと語り交わして、次第に夜が更けた。

五月《さつき》二十日《はつか》の月が差し昇ってくると、野放図に高く伸びてしまっている高い木々の影が真っ暗に見渡されて、近いところに咲いている橘《たちばな》の花の香りが懐かしく匂《にお》ってくる。女御の様子は、だいぶお年を召《め》されたけれど、どこまでも心遣いゆかしく、貴《あて》やかながら、またなにかしらかわいらしげなところがある。

桐壺院のご在世中には、取り立ててご寵愛《ちょうあい》に与《あずか》ったというわけでもなかったけれど、ただ、人間としてその人柄が親しみ深くおっとりと優しい人だと院は思っておいでであった、ということなどを思い出話に語らうにつけても、昔のことが、それからそれへと思い起こされて、源氏はおぼえず嗚咽《おえつ》を漏《も》らした。

ホトトギスが、……あれはさっき中川あたりの家の垣根のところで鳴いたのと同じ鳥であろうか……同じ声で、しきりと鳴いた。

〈あの鳥は、私のあとを慕《した》って来たのでもあろうかな〉と思ったりするのも、またいかにも幽婉《ゆうえん》な感じがする。源氏は、一首の古歌を、忍びやかに朗詠する。

いにしへのこと語らへば郭公《ほととぎす》

いかに知りてか古声《ふるごゑ》のする

昔のことを語らっていると、あのホトトギスめ、どうしてそれが分かったのであろうか、

昔どおりの声で鳴くじゃないか

そして源氏は、こう語りかける。

「橘の香をなつかしみ郭公

花散里《はなちるさと》をたづねてぞとふ

袖の香の橘の懐かしさに、ホトトギスは、もう花の散ってしまった里を、

こうして求めておとずれるのです

昔のことが忘れられない時には、その悲しさを慰《なぐさ》めに、ああ、やはりこちらに参上すべきでございました。さすれば、悲しみは、こよなく晴れることも、また却《かえ》ってまさることもございましょうけれど……。人は時世に従って変わってまいりますほどに、こうして故院ご在世中のことを、ぽつりぽつりとお話しすべき人も少なくなってまいりますのを、私も寂しく思っておりました。まして、こちらではお寂しさも紛れることなくお思いでございましょうね」

源氏の歌に、女御は、あの名高い古歌「五月《さつき》待つ花橘《はなたちばな》の香《か》をかげば昔の人の袖の香ぞする（五月の到来を待って咲く花橘の香を嗅《か》ぐと、なつかしい昔の恋人の袖の香がする）」、また「橘の花散里の郭公片恋《かたこひ》しつつ鳴く日しぞ多き（橘の花が散ってしまった里で、その花を恋しがって鳴くホトトギスでもあるまいけれど、私も片思いをしながら泣く日ばかり多いことだな）」などを、かれこれ思い出している。そうして、なにも今さら事新しく言うまでもないこの頃の寂しさながら、女御は、あらためてつくづくと物思いに耽《ふけ》るのであった。その様子がまた、いかにも趣《おもむき》深く見えるのは、そのお人柄ゆえなのであろうか、源氏には、ひとしお心に沁みて感じられる。

人目なく荒れたる宿は橘の
花こそ軒のつまとなりけれ

こうして訪ねてくれる人もなく、すっかり荒れ果ててしまったこの家には、あの軒端《のきば》に咲く橘の花ばかりが、あなたをお招きするよすがになったのでしたね

女御は、ただこの歌だけをそっと返された。

〈ああ、同じ女と言いながら、やはりこの御方は、そこらの人とは別格であったな〉と源氏は、ついつい引き比べずにはいられない。

源氏、三の君（花散里）と語る

西面《にしおもて》のあたりへは、わざとらしくなくさりげない振舞いで、そっと忍んでいって、三の君の部屋を覗いてみたのだが、源氏のご入来《じゅらい》など思いもかけず珍しいことではあり、しかももとより世にも稀《まれ》な美しさでもあるので、つい怨《うら》めしさも忘れてしまったのであろう。源氏は、何やかやと、あの親しみ深い様子で、この三の君に話しかける。その様子を見

ると、これはどうやら色好みの出任《でまか》せというのではないらしい。

これより、右の源氏の歌になぞらえて、この三の君をば、花散里、と呼ぶことにしよう。

かりそめにも逢瀬を遂げた女君たちは、みな凡庸な人柄ということではなく、さまざまなことについて、どこかにひとかどのところがあるからだろうか、いつでもどこか憎からず思って、源氏も相手の女も、互いに心を通いあわせて過ごすのが常のことであった。しかし、逢瀬があまりに途絶え途絶えなのは嫌《いや》だと思うような女は、なにかと心変わりもするのだろうけれど、〈それもこれも、みな男女の仲らいの道理というものだ〉と、源氏は思い定めているのであった。さればあの、中川あたりの垣根の女などは、さしずめ、嫌だと思って心変わりしてしまったということだったに違いない。

【第二巻】訳者のひとこと

行間を読むということ

林　望

『源氏物語』のような物語には、そこらの三文《さんもん》小説とは違って、あまり露骨な性愛描写などは出てこない。

しかし、だからといって、そのことが無いのではない。

往古の日本人にとって、「肉体の介在しない恋」などは存在しなかった。恋とは、男が女の閨《ねや》に通って来て、夜を共にし、まだ夜明け前の闇《やみ》のなかを戻っていくという営為のなかに存在したのである。つまり、閨のあれこれなどは書くにも及ばぬこと、それは、食事とか排泄とか、そういうことが露骨には書いていないのと同様に、いわば書かずともよい自明の前提なのであった。

『松風《まつかぜ》』の巻に、明石《あかし》の君《きみ》を大井《おおい》の邸《やしき》に訪ねた源氏が、一夜を過ごしたその翌日に、「またの日は京へ帰らせたまふべければ、すこし大殿籠《おほとのごも》り過ぐして、やがてこれより出でたまふべきを……」とあって、その少し先にはまた「なかなかもの思ひ乱れて臥《ふ》したれば、とみにしも動かれず」とも書かれている。

ここに、「すこし大殿籠り過ぐして」と、さりげなく書いてあるところが肝心である。当時、男は、原則としてまだ暁《あかつき》の暗いうちに引き上げていくのが不文律であった。真っ暗いうちに、男は、名残《なごり》惜しげに、情緒纏綿《じようしよてんめん》と去っていくのがよろしいので、朝になってしまうのは不見識であった。ところが、ここで源氏は「大殿籠り過ぐし」たとある。朝寝坊をしたのである。言い換えるといつまでも女の閨から出なかったということだ。しかもまた「とみにしも動かれず」とくる。これは明石の君のほうが起きられないのだ。

すなわち、こう書くだけで、いかに前夜二人の睦言《むつごと》が濃密であったかが、当時の人たちには自明のこととして了解されたのである。

そういえば、『夕顔《ゆうがお》』にも、六条御息所《ろくじようのみやすんどころ》の許《もと》に一夜を過ごした源氏が、「ねぶたげなるけしきに、うち嘆きつつ出でたまふを」というところがある。まだここで一緒に寝ていたい、帰るのが辛《つら》い、とそういう未練を残し残し帰っていくのが「良い男」なのである。すると、御息所は「御頭《みぐし》もたげて見いだしたまへり」とある。

これも前夜の閨の睦言の名残で、御息所が起きられないのである。『源氏物語』では、露骨には書かないけれど、ただこういう叙述をするだけで、みんなが、さぞ濃厚な一夜が過ごされたのだろうと、当然に想像したのである。露骨に書くより、もっとエロティックだと言わねばならぬ。

さらにはまた、『葵《あおい》』の巻で、源氏が、ようやく女らしくなってきた紫の君《むらさききみ》（紫上《むらさきのうえ》）と新枕《にいまくら》を交わす（と言えば聞こえがよいが、実際は無理やりに犯したのだ）ところがあって、その翌朝、「男君はとく起きたまひて、女君はさらに起きたまはぬ朝あり」と書かれている。

こう書いてあれば、すなわち、前夜の性交渉のために心身ともに打ちひしがれた紫の君が、それゆえに起きられない、また起きようとしないのだ、と読める。その時の、紫の君の、辛さ、痛さ、悔しさ、ショック、恥ずかしさ、様々の感情が、こういう「秘すれば花」的な書き方のなかにちゃんと描き込められているのである。

ずっと後のほうになるが、源氏の妻となった女三《おんなさん》の宮《みや》に恋い焦がれた柏木《かしわぎ》が、源氏の留守に忍んでいって無理やりに契《ちぎ》るところがある。そこのところにも、「明けゆくけしきなるに、出でむかたなく、なかなかなり」とある。もう夜が明けてしまった。それなのに柏木は思いの余りに帰る気にもならず、ああ、なまじっかに契りなどするのでなかった、と思っているところである。ここでも、明けてもなお閨に居るということが、すなわち性交渉の実在したことを物語るのである。

かれこれ、露骨には書いていないけれど、だからこそ、そこはすべからく行間を読まなくてはならぬ。それがこうした物語の「読み方」なのである。

本書の主な登場人物関係図（末摘花～花散里）

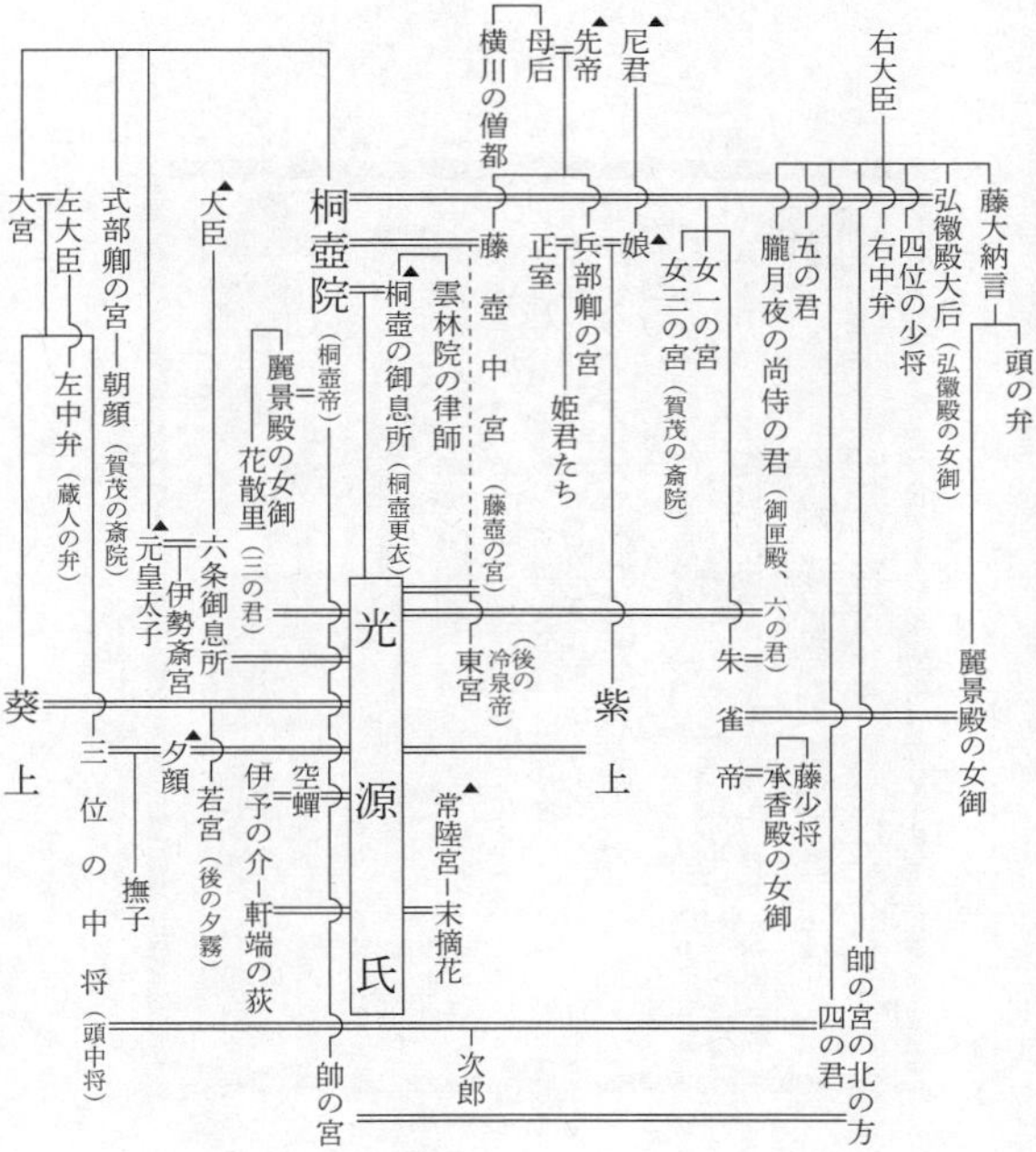

※▲は故人

内裏図

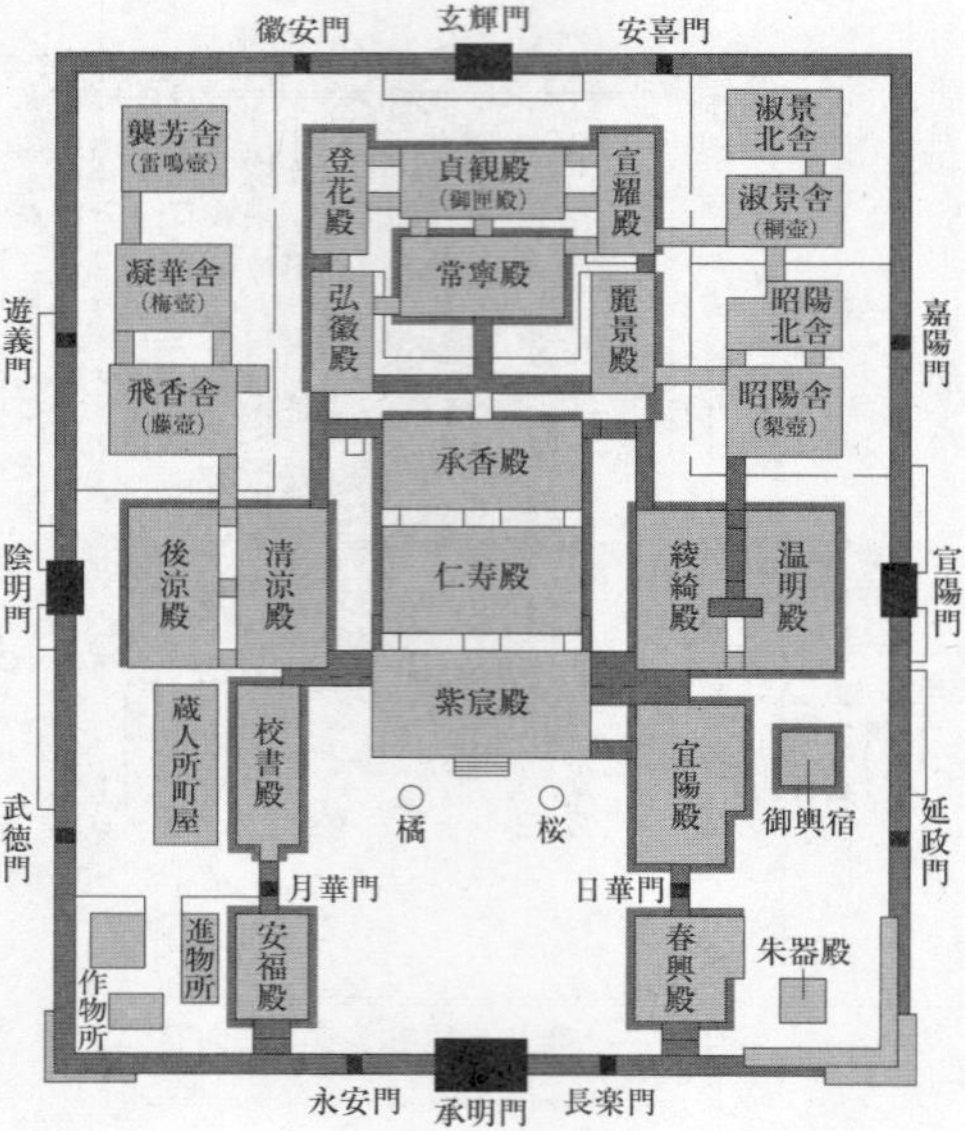
徽安門
玄輝門
安喜門
襲芳舎
(雷鳴壺)
登花殿
貞観殿
(御匣殿)
宣耀殿
淑景北舎
淑景舎
(桐壺)
凝華舎
(梅壺)
常寧殿
弘徽殿
麗景殿
昭陽北舎
遊義門
嘉陽門
飛香舎
(藤壺)
昭陽舎
(梨壺)
承香殿
後涼殿
清涼殿
仁寿殿
綾綺殿
温明殿
陰明門
宣陽門
紫宸殿
蔵人所町屋
校書殿
宜陽殿
御輿宿
橘
桜
武徳門
延政門
月華門
日華門
進物所
安福殿
春興殿
朱器殿
作物所
永安門
承明門
長楽門

単行本　平成二十二年五月　祥伝社刊『謹訳 源氏物語 二』に、
増補修訂をほどこし、書名に副題（改訂新修）をつけた。
なお、本書は、新潮日本古典集成『源氏物語』（新潮社）を
一応の底本としたが、諸本校合の上、適宜取捨校訂して解釈した。
「訳者のひとこと」　初出　単行本付月報

祥伝社文庫

謹訳《きんやく》 源氏物語《げんじものがたり》 二《に》

改訂新修

平成29年10月20日　初版第1刷発行
令和6年2月25日　第2刷発行

著　者　林望《はやしのぞむ》

発行者　辻　浩明

発行所　祥伝社《しょうでんしゃ》

東京都千代田区神田神保町3-3　〒101-8701
電話　03（3265）2081（販売部）
電話　03（3265）2080（編集部）
電話　03（3265）3622（業務部）
www.shodensha.co.jp

印刷所　図書印刷
製本所　ナショナル製本

Printed in Japan ©2017, Nozomu Hayashi　ISBN978-4-396-31720-1 C0193